JN125206

ジュディス・バトラー

佐藤嘉幸＋清水知子 訳

Judith Butler GIVING AN ACCOUNT OF ONESELF

新版

自分自身を説明すること

倫理的暴力の批判

月曜社

凡例

＊本書の底本は、Judith Butler, *Giving an Account of Oneself*, New York, Fordham University Press, 2005 である。なお、翻訳に際して、同書の仏訳である *Le récit de soi*, Paris, PUF, 2007 を参照した。また、同書の独訳（短縮版）である *Kritik der ethischen Gewalt*, Frankfurt am Main, Suhrkamp, 2003 も必要に応じて参照した。

＊本文中の引用は、引用元の原書と邦訳書を参照して訳出した（邦訳は文脈に応じて適宜変更した）。引用の出典は、注において原書、英訳書を記し、邦訳が存在する場合は邦訳書を［ ］の中に記した。引用文中の〔 〕は引用者バトラーによる補足である。

＊原注、訳注ともアラビア数字で示し、訳注にはその下に【訳注】と明記した。

＊原文中のイタリック体については、強調の場合には傍点を、書名の場合は『 』を、引用の場合には「 」を付した。原文中の大文字で始まる語は、〈 〉を付して示した。また、fantasy（幻想）と phantasm（《幻想》）のように、訳語を区別するために必要な場合、《 》を付して区別した。

＊本文中の［ ］は文脈を明確にするための訳者の補足や、原語を示すために使用した（［ ］による原語の挿入には、訳者によるものと、引用文中におけるバトラーのものの二種類があるが、いずれも文意を明確にするための原語の挿入であることから、それらを特に区別することはしなかった）。複数の意味合いを持つと思われる語は、＝で訳語を連結させて示した。

＊原書冒頭には著者による次のような注記がある。――本書では「他者［other］」の概念を、この用語が多少異なる意味を示す必要がある場合を除いて、その固有な意味での人間の他者を示すために用いている。例えば、レヴィナスにおいて、「〈他者〉［the Other］」は人間の他者を示すだけではなく、無限の倫理的関係のために場を占めるものとして機能している。後者の場合には、この用語を大文字で示した。

目次

謝辞

本書の諸章は、当初、アムステルダム大学哲学科のスピノザ・レクチャーという枠で、二〇〇二年春に発表された。寛大な招聘と、この題材の一部を通じてアムステルダムで学生たちと仕事をする機会を与えてくれたヘント・デ・ヴリーズに感謝する。この仕事は、二〇〇一年秋学期に、当時人文学部評議会の評議員を務めていたプリンストン大学での学部セミナーのトピックとして始められた。そこでの教授陣、学生たちとの議論からは多大な示唆を受けた。最終的にこの題材は、二〇〇二年秋、フランクフルトの社会研究所でアドルノ・レクチャーの一環として、改訂された形で発表された。アドルノの仕事を再検討し、それに新たな仕方で関わる機会を与えてくれたアクセル・ホネットに感謝する。またそこで、私の提起した問いに真剣に関わってくれた多くの人々との議論にも感謝する。このテクストは、初期のかなり省略された形で、オランダにおいて *Giving an Account of Oneself: A Critique of Ethical Violence*（Van Gorcum, 2003）として発表され、次にふたたび省略された形で、ドイツ語で（ライナー・アンセンの見事な翻訳によって）*Kritik der ethischen Gewalt*（Suhrkamp, 2003）として発表された。第二章の一部は論文 “Giving an Account of

Oneself" (in *Diacritics*, vol. 31-4, pp. 22-40) として発表された。

この原稿の様々な考えを通じて私と共同作業をしてくれた、フランセス・バルトコヴスキ、ジェイ・バーンスタイン、ウェンディ・ブラウン、ミシェル・フェエール、バーバラ・ジョンソン、デブラ・キーツ、パオラ・マラッティ、ビディ・マーティン、ジェフ・ヌノカワ、デニス・ライリー、ジョーン・W・スコット、アニカ・シーム、ニザ・ヤンナイにも感謝したい。また、二〇〇三年秋学期の私の比較文学セミナーにおける学生たちにも感謝する。彼らは、ここで考察したテクストの多くを私とともに読み、私の視点に挑み、多くのトピックについて濃密な討論を展開してくれた。ジル・スタウファーには、倫理的思考についてレヴィナスの思考の重要性を示してくれたことについて、また、コリーン・パール、エイミー・ジャムゴチアン、スチュアート・マレイ、ジェームズ・サラザー、エイミー・ヒューバー、アニカ・シームには、編集上の援助と様々な段階での示唆について、それぞれ感謝する。そして最後に、私の文章と喜んで格闘してくれたヘレン・ターター——本書は彼女に返答していると思う——に感謝する。本書は、友人であり対話相手であるバーバラ・ジョンソンに捧げられる。

第一章　自分自身の説明

思考の価値は、既知のものの連続との間に取られた距離によって測られる。

——アドルノ『ミニマ・モラリア』

道徳哲学に関する問いを提示することがいかにして可能かを考えることから始めさせていただきたい。この問いは、今日の社会的枠組みの中での行為、つまり行い一般と関係を持っている。このような問いを立てることは、既にそれに先立つ命題を認めることである。つまり、道徳的な問いは社会関係において現れるだけではなく、またこれらの問いが取る形式自体も文脈に依存して変化するし、この文脈の方も、ある意味では問いの形式に内在する。一九六三年夏学期の講義『道徳哲学の諸問題』の中で、アドルノは次のように述べている。「道徳的な問いが生じるのは常に、共同体の生活において行動の道徳的諸規範が疑問に付され、自明でなくなったときである、と言うことができるでしょう」[1]。ある意味で、この主張は道徳的な問いが生起する条件を説明しているように見えるが、アドルノはさらに具体的な説明を加えている。そこで彼は、マックス・シェーラーが倫理的観念の退廃

［Zersetzung］――この言葉によって彼は、集団が共有する倫理的エートスの破壊を指している――を嘆くさまを簡潔に批判する。アドルノはこの消失を悼むことを拒絶し、集団的エートスとはいつも決まって保守的なものであり、どんな現代のエートスの中にも存在する障害と分裂を抑圧しようとする偽りの統一性を前提としているのではないか、と疑うのである。これは、後に粉々になってしまう統一性がかつて存在した、ということではなく、かつては理想化が、さらにはナショナリズムが存在したが、それは現在では当てになるものではなく、また当てにすべきものでもない、ということにすぎない。結果としてアドルノは、倫理を援用することはある種の抑圧と暴力であると警告する。彼は次のように述べている。

ヘーゲル風にごく省略的に述べるなら、世界精神がもはや立ち去った後もなお、集合的観念という形で生き延びているような倫理や道徳ほど「腐敗した」ものはありません。人間の意識状態と社会的生産力の状態とがこの集合的観念から乖離してしまったとき、この観念は抑圧的かつ暴力的な性質を帯びます。そして、私たちがここで示しているような省察を哲学に強いるのは、慣習の中にひそむこの強制、慣習［Sitten］を道徳性［Sittlichkeit］と葛藤に陥らせるような、慣習の中の暴力的で邪悪なものであって、デカダンスの理論家が嘆くような単なる道徳の衰退ではありません。[2]

第一にアドルノは、集団的エートスが支配をやめたときにのみ道徳的な問いが生起する、と主張する。

これが示唆するのは、道徳的な問いは、適切なものとして一般に受け容れられたエートスを基礎にして生起する必要はない、ということである。実際、エートスと道徳性の間には緊張関係があるように思われる。それは、前者が欠ければ後者が満ちるといった関係である。第二に、集団的エートスがもはや共有されていないとしても――実のところ、集団的エートス（それはいまや引用符で括られるべきだが）が共有されることなど普通はないのだから――、それは自らの一般性への要求を、暴力的手段によってのみ押しつけることができるのである。その意味において、集団的エートスは、その集団性の外観を維持するために暴力を道具化する。さらにこのエートスは、それが時代遅れのものになるとたちまち暴力的になる。この倫理的暴力の形式について歴史的に――あるいは時間的に――奇妙なのは、この集団的エートスが既に時代遅れになっているにもかかわらず、過去のものにはなっていない、という点である。それは時代遅れのものとして自らを現在へと押しつける。エートスは過去のものになることを拒否するのであり、暴力はそれが自らを現在に押しつける仕方のことである。実際、それは自らを現在に押しつけるだけではなく、現在を覆い隠そうともする――そして、これこそがまさに、集団的エートスの暴力的効果の一つなのである。

アドルノは「暴力」という語を、普遍性の要求という文脈における倫理との関係で用いている。彼はさらに、道徳性の発生――それは常に、ある種の道徳的審問、道徳的問いかけの出現である――に別の定式を与えている。「全体利益と個別利益、つまり個々人の利益との解離という社会的問題は、同時にまさしく倫理的問題でもある」[3]。この分岐が生じる条件とは何だろうか。彼は、「普遍的なもの」が個人と一致しそこねて、あるいは個人を包含しそこねて、普遍性への要求そのものが個人の

「権利」を無視してしまう、という状況に言及する。例えば、民主主義の普遍的原理の名の下に、諸外国に統治を押しつけるといった例を想像することができる。その場合、統治の押しつけは、事実上、当の国民が自らの議員を選ぶ権利を否定することになる。この線に沿って、ブッシュ大統領のパレスチナ政府に対する提案、あるいはイラクにおける政府のすげ替えを考えることができる。アドルノの言葉を借りるなら、これらの例において、「普遍的なものは［……］暴力的で外的なものとして現れ、人間自身にとって何の実質的な現実性も持っていない」。[4] アドルノは時に、倫理と道徳性の間を不意に行き来するとはいえ、自らのプロジェクトのために「道徳性」という言葉を好んで使っており――それは後の『ミニマ・モラリア』の中に反響している――、またいかなる一群の行動原理もしくは規則も個々人が「生き生きとした形で」[5] 我有化しうるものでなければならない、と力説している。これらの規則と行動原理の一般的な輪郭のために、あるいはこれらの規則が含む自己同士の関係のために「倫理」という言葉を取っておくべきかもしれないが、アドルノは、生活様式を示すことのできない、あるいは既存の社会的条件の中で我有化できないとわかった倫理的規範は批判的修正を加えられねばならない、と力説する。[6] もし倫理的規範が既存の社会的条件――それはまた、すべての倫理が我有化されうる条件でもある――を無視するなら、そのエートスは暴力になるのである。

以後に続く第一章では、倫理的暴力に関するアドルノの概念について、重要と思われる点を示しておきたい。ただし、より系統立った考察は第三章に譲る。導入をなす本章では、彼の定式化が道徳的ニヒリズムに関する現在の議論にとっていかに重要かを指摘し、道徳的探究そのものの歴史的性格の移行ゆえに、彼の理論的枠組みがいかに変化を必要としているかを示すだけにとどめておきたい。ある意味でアドルノを超えたこの変化は、道徳的探究の必要が生じるような、変化する社会的文脈の中で彼が道徳性を考察したのだとすれば、彼が予め承認していたものかもしれない。この社会的文脈は問いの外側にあるのではない。それは問いが取りうる形式を条件づけている。その意味で、道徳的探究を描き出す一連の問いは、それらを誘発する歴史的条件によって定式化され、様式化されているのである。

この点について私は、抽象的普遍性を暴力的なものとするアドルノの批判は、恐怖政治の特徴である一種の抽象的普遍性へのヘーゲルによる批判と関係づけて読むことができる、と考えている。これについては別の場で書いたことがあるので、[7] ここでは次の点を指摘するだけにとどめておきたい。つまり、問題は普遍性そのものではなく、文化的個別性に応えることができない普遍性の作用であり、その適用範囲に含まれる社会的、文化的諸条件に応えて自らを定式化し直すことができない普遍性の作用なのである。普遍的規則が社会的理由から我有化できないものであるか――まさに社会的理由から――拒否されるべきものである場合、こうした普遍的規則はそれ自体が異議申し立ての場となり、民主的討議の主題、対象となる。つまり、こうした普遍的規則は民主的討論の前提条件としての地位を失うのである。もしそれが実際に民主的討論の前提条件として、参加の必須条件として働くとすれば、排斥的な予めの排除（フォアクロージャー）の形でその暴力を押しつけることになるだろう。これは、普遍性がその定義からして暴力的である、という意味ではない。そうではなく、むしろ普遍性が暴力を行使しうる条件が存在する、ということなのである。アドルノは、普遍性の暴力とはある程度、生き生きとした我有化を可能にする社会的諸条件に対してその普遍性が無関心であることに存する、ということを理解させてくれる。もしどんな生き生きとした我有化も不可能だとすれば、普遍的規則は、自由と個別性を犠牲にして無関心な外部から押しつけられた、致死的なもの、苦しみとして経験されうることになるだろう。

アドルノは、実存する個人の立場と意味を力説し、また道徳性の我有化という作業の不可欠さを力説するのに加えて、倫理的暴力の諸形式に反対する点で、ほとんどキルケゴール的である。しかし、アドルノはむろん、その正反対の立場に見られる誤りに対して警告を発している。それは、「私」がその社会的条件から切り離されて理解される場合であり、「私」がその社会的、歴史的な条件——結局それこそが、「私」そのものの出現の一般的条件を構成しているのだが——から切り離された、任意あるいは偶発的な、単なる直接性として理解される場合である。彼は、「私」なしにはいかなる道徳性も存在しない、という点を明確にする。しかし、切迫した問いが残っている。つまり、この「私」とは何に存するのか、「私」はいかなる関係の中で道徳性を我有化しうるのか、あるいはさらに、「私」を説明することができるのか、という問いである。例えばアドルノは次のように述べている。「道徳性、あるいは道徳に関するすべての観念は、行為する「私」に関連している」[8]。しかし、自らの出現の社会的条件から完全に独立した「私」というものは存在しないし、単に私的な、もしくは個人特有の意味を超えた社会的性格を持ち、「私」を条件づけるような、一連の道徳的規範に関与しない「私」も存在しない。

「私」は、倫理的規範や、葛藤を孕んだ諸々の道徳的枠組みという支配的基盤から独立しているわけではない。重要な点だが、たとえ「私」がこれらの道徳的規範から因果的に導かれないとしても、この基盤は「私」が出現するための条件でもある。「私」は何らかの既存のエートスの単なる効果、もしくは道具であると、あるいは何らかの葛藤を孕み、一貫性を欠いた規範の場の単なる効果、もしくは道具であると結論することはできない。「私」が自分を説明しようとするとき、自分自身から出発することはできる。しかしその「私」は、自分が既に、自分自身の語りの能力を超えた社会的時間性に関与していることを見出しもするだろう。実際、「私」が自分に説明を、自分自身の出現の条件を含んでいるはずの説明を与えようとするとき、「私」は必然的に社会理論家にならざるをえないのである。

この理由は、「私」が一連の規範への関係——あるいは一連の諸関係——についての物語以外に自分自身の物語を持っていない、という点にある。多くの同時代の批判者が、これは道徳的行為能力（エイジェンシー）[9]と道徳的責任の基礎として役立つ主体概念は存在しないという意味だと危惧するが、そうした結論は出てこない。「私」は常に、「私」の出現の社会的条件によってある程度収奪されている。[10]「私」のこのような収奪は、私たちが倫理に対する主体的根拠を失ってしまった、という意味ではない。それどころか、これはまさしく道徳的探究の条件であり、道徳性そのものが出現するための条件であろう。もし「私」が道徳的規範と一体でないとしたら、それは、主体がこれらの規範について熟慮しなければならず、その熟慮の一部は規範の社会的な発生と意味に関する批判的理解をもたらすだろう、という意味にすぎない。その意味で、倫理的熟慮は批判の作業と密接に結びついている。また批判は、熟慮する主体がいかにして存在するようになり、また熟慮する主体が現にどのように生きており、一連の規範を我有化しているか、という点を考慮せずして先に進むことはできない。倫理が社会理論の作業に巻き込まれるだけではなく、社会理論が――もしそれが非暴力的結果をもたらすべきだとすれば――この「私」の生きる場所を見出さなければならない。

社会制度という基盤から「私」が出現することを説明する方法、「私」の持つ社会的条件の中で道徳性を文脈づけする方法は数多くある。アドルノは、集団性の要求が集団的なものでないと判明し、抽象的普遍性の要求が普遍的でないと判明したとき、ある種の否定弁証法が作動していると考える傾向にある。相違は常に、普遍的なものと個別的なものの間に存在するのであり、それは道徳的問いかけの条件になっている。普遍的なものは個別的なものと単に異なっているだけではなく、まさにこの相違こそが、個人の経験するもの、個人にとって最初の道徳的経験をなすものなのである。この意味で、アドルノの理論は、場合によっては人を死に追いやりかねないような残酷さの結果として「私」を存在させるような、「疚しい良心」の暴力を強調するニーチェと共鳴する。「私」は自分に対して振り向き、自分を道徳的に非難する攻撃を爆発させるのであり、その結果として反省性が創始されるのである。少なくとも、これは疚しい良心についてのニーチェ的見解である。私が示唆したいのは、社会的に存在する条件の下で個人が「生き生きとした形で」我有化できない倫理は「良心についての疚しい良心［das schlechte Gewissen des Gewissens］」[11]である、とアドルノが主張するとき、彼は疚しい良心についてのこうした否定的見解に触れている、ということだ。

しかし、私たちが問うべきは、生き生きとした形で道徳的規範を我有化しなければならない「私」そのものが、規範によって、つまり主体の生存可能性を確立するような規範によって条件づけられているのではないか、という点である。主体は規範を我有化できなければならない、ということと、存在論的領野の中に主体にとっての場を準備するような規範が存在しなければならない、ということは別々の事柄である。まず規範はそこに、外に隔たったところに存在するのであり、そのときなすべきことは、それら規範を我有化し、引き受け、それとの生き生きとした関係を確立する方法を見つけることである。認識論的枠組みは、このような出会いに、つまり主体が道徳的規範と出会い、それと折り合いをつけなければならない、といった出会いに前提とされている。しかしアドルノは、規範もまた、誰が主体になり、誰が主体にならないかを予め決定している、と考えたのではないだろうか。彼は、まさに主体を形成し、主体の存在論を様式化し、社会的存在論の領域内に規範にかなった場を作る際の、規範の作用について考えたのではないだろうか。

呼びかけの光景

私たちはノイズに対する応答、質問から始めるのであり、暗闇の中でそうするのである——つまり、正確に知らずして行い、話してやりすごすのだ。誰がそこに、あるいはここにおり、誰が行ってしまったのかを。

——トマス・キーナン『責任の寓話』

アドルノについてのこの議論からはしばらく離れるが、後に彼に立ち戻って考察することにしよう。ここで考察するのは、主体が道徳性に対して持つ関係ではなく、それに先立つ関係、つまり主体の生産における道徳性の力である。この第一の問いは決定的なものであり、これに続く探究はこの問いを避けて通ることはできない。というのも、道徳性によって生産された主体は、道徳性に対する自分の関係を見出さなければならないからだ。道徳的熟慮のための、自分自身を説明するためのこの逆説的条件を取り除くことはできない。道徳性が、主体をその理解可能性において生産するような一連の規範を与えるとしても、それはまた、主体が生き生きとした思慮深い仕方で交渉しなければならない一連の規範や規則であり続けるのである。

『道徳の系譜学』でニーチェは、私たちがいかにして自分の行為に反省的になれるか、また私たちは自分が行ったことを説明するために自分をいかなる位置に置くか、という点をめぐって論争含みの説明を提示している。彼は、私たちは何らかの傷を受けた後に初めて自分に意識的になれる、と述べるのである。結果として、誰かが苦しんでおり、その苦しんでいる人が、あるいはより正確に言えば、司法体系の中でその人の代弁者として振舞っている誰かが、その苦しみの原因を見出そうとして、私たちがその原因ではないかと問いかける。問いが提起され、件の主体が自分自身に問いかけるようになるのは、侵害行為に責任を持つ者へと正当な処罰を割り当てるという観点からである。ニーチェは私たちに、「処罰とは記憶を作り出すことだ」と言っている。[12] 問いは因果的な力として自己を措定し、特定の様態の責任＝応答可能性［responsibility］を作り上げる。私たちは、自分がこうした苦しみを引き起こしたのかと問うとき、既存の権威によって問いただされているのだが、それは自分自身の行為とそれに伴う苦しみの間の因果的連鎖を認めるためだけでなく、自分自身の行為とその効果に対して責任を取るためでもある。そのとき私たちは、自分自身を説明しなければならない立場にあることを見出すのである。

私たちが説明を始めるのは、司法、処罰体系によって説明可能になった存在として、私たちが呼びかけられる［interpellated］からでしかない。この体系は最初から存在するわけではなく、長い時間をかけて、多くの犠牲を払って人間本能に打ち立てられたものである。ニーチェによれば、こうした条件下で人々は、「極めて簡単な仕事をするにも自分をぎこちなく感じた。この新しい未知の世界に対して、彼らはもはやその昔ながらの案内人を、無意識のうちにも確実に先導してくれるあの統制本能を持たなくなっていた。――この不幸な半獣たち、彼らはもっぱら思考、推理、計測、因果連結だけに依存し、その貧弱きわまる、誤りを犯しがちな器官である彼らの「意識」だけに依存するようになったのだ！」[13]

もしニーチェが正しいなら、私が説明を始めるのは、誰かが私にそうするよう求めたからであり、またその誰かが既存の司法体系から託された力を持っているからである。私は呼びかけられた[addressed]のであり、ある行為が私に割り当てられたのかもしれない。そして、ある処罰の脅しがこの問いかけを支えているのである。従って、不安げな応答の中で、私は自分自身を「私」として提示し、私の行為を再構築しようとし、私に割り当てられた行為が実際その中にあったのかどうかを示そうとする。私は、自分自身をこうした行為の原因として認め、私の因果的な貢献を認めるか、あるいは、私への行為の割り当てに対して自己弁護し、原因を恐らく別のどこかに突き止めるだろう。これらが、私が自分自身を説明する枠組みである。ニーチェにとって、[自己の]説明可能性とは、告発の結果として、あるいは少なくとも、申し立て——つまり、因果関係が証明されれば処罰を行う、という立場の人間が行う申し立て——の結果としてのみ生じる。従って、私たちは恐れや恐怖を通じて自分自身に対して反省的になる。そう、私たちは恐れや恐怖の結果として道徳的に説明可能な存在になるのである。

他者による呼びかけが恐れ以外の誘因をもたらすかどうかを検討してみよう。処罰への欲望によって焚き付けられないような知や理解への欲望は存在するかもしれないし、処罰への恐怖によって駆り立てられないような説明や語りの欲望は存在するかもしれない。ニーチェは、私が自分自身の物語を始めるのは、私に説明を求める「あなた」に直面したときだけである、ということをよく理解していた。「それはあなただったのか」という他者からの問いかけ、あるいは割り当てに直面したときにだけ、私たちの誰もが自分自身を語り始め、あるいは危急の理由で、私たちが自分を語る存在にならねばならないことに気づくのである。むろん、こうした問いかけに直面して無言のままでいることも常に可能であり、その場合、沈黙は問いかけへの抵抗を表現する。つまり、「あなたにはそのような問いかけをする権利はない」とか、「私は問いに応えてこの申し立てに権威を与えはしない」とか、「たとえそれが私であったとしても、それはあなたの知ったことではない」といった抵抗である。こうした場合の沈黙は、問いや質問者が行使する権威の正当性を疑問に付すことであるか、質問者が立ち入ることのできず、立ち入るべきでもない自律の領域を画定する試みである。語りを拒否することもまた語りへの関係であり、呼びかけの光景［scene of address］への関係なのである。それは、語りの留保として、尋問者が前提としている関係を拒絶するか、尋問された者が尋問者を拒絶するよう、関係を変化させる。

自分自身についての物語を語ることは、自分自身を説明することと同じではない。しかしながら、先の例から理解できるように、私たちが自分自身を説明するのに必要とされるような語りは、自己が他者の苦痛に（結局は、疚しい良心を通じて自分自身に）因果関係を持つ、という前提を受け容れている。すべての語りがこの形を取るわけでないことは明らかだが、しかし、申し立てに応答する語りは、自己が因果的な［＝行為の原因となる］行為能力（エイジェンシー）を持つという可能性を初めから受け容れている――たとえ、ある場合には、自己が件の苦痛の原因でなかったとしても。

こうして、説明は語りの形式を取る。語りの形式は、一連の連続した出来事を説得的な展開をもって伝える能力に依拠するだけでなく、聴衆を説得するための語りの声や権威にも依拠している。語りは、自己が苦痛の原因であったか否かを立証しなければならず、自己の因果的な行為能力（エイジェンシー）を理解するための説得手段を提供しなければならない。語りとは、因果的な行為能力（エイジェンシー）という事実の後に現れるのではなく、私たちが生み出しうる道徳的な行為能力（エイジェンシー）を説明するための、必要不可欠な条件をなしているのである。この意味で、語りの能力は、自分自身を説明し、この手段を通じて自分の行為に責任を取るための前提条件をなす。もちろん人は、自分が件の行為を生み出したまさに当人であることを認めるために、単に「うなずく」こともあるし、別の表現的身振りを用いることもある。「うなずく」ことは、承認を表す前提条件として機能する。「あなた自身のために何か言っておくことはありますか」という問いかけを前にして沈黙したままでいるときにも、同じような表現の力が働いている。しかしどちらの場合にも、承認の身振りは、「ええ、私は、あなたが言及している一連の出来事において、因果的な行為主体（エイジェント）の立場を占める者でした」という暗黙の語りと関係づけられる際にのみ意味を持つのである。

ニーチェの見方は、それを通じて責任が問いただされ、受け容れられるか拒否されるところの呼びかけの光景を、完全には説明していない。彼は、問いが法的枠組み——その枠組みにおいて処罰は、最初になされた侵害と同程度の侵害として人を脅かす——の内部からなされると仮定している。しかし、すべての形の呼びかけが、この体系から、こうした理由で始まるわけではない。彼が記述する処罰体系は、たとえ「正義」の価値を与えられるときでさえ、復讐に基礎を置いている。この処罰体系は、因果的な行為主体としての主体を持ち出しても完全に説明されるわけではない、ある程度の苦悩と侵害を生が含んでいる、ということを認めない。実際、ニーチェにとって、攻撃とは生と外延を等しくするものであり、それゆえ、もし私たちが攻撃を禁止するなら、それは事実上、生そのものを禁止することになるだろう。彼は言っている。「生とは本質的に、すなわちその根本機能において侵害的、暴圧的、搾取的、破壊的に働くものであって、こうした性格なしにはまったく考えられない」。[14]さらに彼は次のように述べる。「法律状態は、生への意志〔つまり、闘争によって定義される意志〕を部分的に制約する」。闘争を抹消しようとする法的努力は、彼の言葉によれば、「人間の未来を抹殺する試み」なのである。[15]

ニーチェにとって問題なのは、単に、彼が反対する道徳性と法秩序の横行ではなく、生そのものに対立する「人間」の強制的な形成である。しかし、生についての彼の見解は、攻撃は寛大さよりも本源的であり、正義に対する関心は復讐の倫理から現れる、と仮定している。つまり彼は、何をしたのかと問われる問答の場面を、あるいは、何をどんな理由でしたのか知りたがっている人に物事を明白に説明しようとする状況を、考慮しそこねているのである。

ニーチェにとって、侵害行為の「原因」としての自己は、常に遡及的に割り当てられる――つまり、行為者は事後的にのみ行為に結びつけられるのである。実際、行為者は、法体系――つまり、件の自己を苦痛の因果的源泉として位置づけることで、説明可能性と処罰可能な罪を確立するような体系――が規定した道徳的存在論を満たそうとする割り当てによって、遡及的によってのみ、行為の因果的な主体になる。ニーチェにとって苦痛は、ある自己もしくは別の自己がもたらすいかなる結果をも超えているのであり、ある者が別の者に対して外的に攻撃を加え、侵害もしくは破壊を引き起こす場合、訴訟が起こされるのは明らかであるにもかかわらず、この苦痛には――それが生の一部をなし、生そのものの「魅力」と「活力」の一部をなす限りで――「正当化しうる」何かがあるのである。この説明に反論する理由はたくさんあるが、私はこの説明と私自身のいくつかの相違点をできる限り明確にしたい。

重要なのは、ニーチェが［自己の］説明可能性の理解を、この法的に媒介され、遅延された割り当てに限定していることである。彼は明らかに、自分自身の説明を求められる問答の条件を理解しそこねており、代わりに、彼があらゆる人間の一部をなすと見なす、さらには生そのものと外延を等しくすると見なす原初的攻撃にのみ注意を向けている。彼の考えでは、そうした攻撃を処罰体系の下で訴追することは、生についてのこの真理を根絶してしまう。法の制定によって、本源的に攻撃的な人間は、その攻撃を「内へと」向け、罪悪感によって構成された内的世界を作り、道徳性の名の下にその攻撃を自分自身へとぶちまけるのである。「そこにまさしく、比類なき精神的残酷さにおける一種の意志錯乱が存在する。すなわち、自分自身を救われがたいまでに罪深く呪われたものと見ようとする人間の*意志*である」[16]。ニーチェがあらゆる人間的動物と生そのものに先天的に備わっていると考えるこの攻撃は、意志に向けられることで第二の生を受け、自己非難をモデルとして反省性を生み出すような良心を内破的に構築する。この反省性は、反省的存在――自分を反省の対象と見なすことができ、実際そう見なしている存在――と理解された主体の沈殿物なのである。

先に指摘したように、ニーチェはこの状況に関する別の言語的次元を考察していない。もし、道徳性の枠組みを通じて私が説明可能であり続けるなら、この枠組みは、別の人の呼びかけ、問いかけを通じてまず私に向けられ、まず最初に私に対して作用し始めるのである。実際、私は、道徳性の枠組みを他のいかなる方法でも知ることはできない。もし私が、こうした問いかけに応答して自分自身を説明するとすれば、私は目前の、話し相手である他者に関与していることになる。こうして私は、誰かに話しかけられ、呼びかける人に対して私自身を差し向けるよう促されるとき、私自身の物語的説明を確立することを通じて、反省的主体として存在するようになるのである。『権力の心的な生』[17]において、私は主体を創始するこの処罰の光景をあまりにも性急に受け容れてしまったかもしれない。この見方によれば、処罰制度によって私は私の行為に結びつけられるのであり、また、私があれこれの行為をしたという理由で処罰されるとき、私は意識の主体として、従ってある意味で、自分自身を反省する主体として現れる。主体形成に関するこの見解は、法を内面化した主体という見方に、あるいは少なくとも、処罰制度が償いを求めるような行為へと主体を因果的に関係づける見方に依拠している。

処罰についてのこのニーチェ的説明が、監獄における規律権力についてのフーコー的説明にとって決定的に重要になると考える人もいるだろう。確かにそうだったのだが、ただしフーコーは、反省的主体が生じる仕方を説明するために処罰の光景を一般化する、ということを拒否する点で、ニーチェとは明らかに異なっている。ニーチェ的な疚しい良心の出現を象徴する自己への振り向き［turning］は、フーコーにおける反省性の出現を説明するものではない。フーコーは、『性の歴史』第二巻『快楽の活用』[18]において、前近代的な主体形成に専心し、自己が自らを反省と陶冶の対象とする条件を検討している。ニーチェが倫理は処罰の脅迫的光景に由来しうると考えるのに対して、フーコーは『道徳の系譜学』の最後の諸考察から出発して、道徳性が持つ特有の創造性、とりわけ、かの疚しい良心がいかに価値生産の手段となるかを集中的に考察している。ニーチェにとって、道徳性は恐怖支配された処罰への応答として現れる。しかし、この恐怖は奇妙に多産なものとして現れる。道徳性とその規則（魂、良心、疚しい良心、意識、自己反省、道具的推論）はすべて、自分自身へと振り向けられた残酷さと攻撃で満たされるのである。道徳性——一連の規則とその等価物——の練り上げは、自己へと振り向けられたこの本源的攻撃が昇華された（そして反転した）結果であり、自分自身の破壊性への、またニーチェにとっては、自分自身の生の衝動への振り向きが理想化された結果なのである。

確かにニーチェが、処罰の力を、怒りの内面化とその結果としての疚しい良心（と他の道徳規則）とを生産する道具と見なすのに対して、フーコーは次第に、振舞いのコードと見なされる道徳性のコード——本質的に処罰のコードではない——に目を向けるようになる。それは、常に禁止の暴力とその内面化の効果に依拠するわけではないこのコードへの関係において、いかにして主体が構成されるかを考察するためである。『道徳の系譜学』におけるニーチェの見事な説明は、例えば怒りや自発的意志がいかに内面化され、「魂」の領域とともに道徳性の領域を作り出すかを私たちに示してくれる。この内面化の過程は、自分自身へと後退するような本源的攻撃衝動の反転、振り向きとして理解されるべきであり、それは疚しい良心の署名行為である。フーコーにとって、反省性は道徳的コードへの関係を引き受ける行為において出現するが、それは内面化、あるいはより一般的に言えば、心的な生による説明には依拠しておらず、むろん道徳性を疚しい良心へと還元することはない。

ニーチェの道徳性批判を、フロイトの『文化への不満』における良心の評価、あるいは『トーテムとタブー』における道徳性の攻撃的基礎の説明と並べてみれば、人は道徳性に関する完全にシニカルな見解に至るだろうし、また、規定的価値の規範に従おうとする人間の振舞いは、善を行うという欲望によってではなく、恐怖支配された処罰への恐れとその侵害的効果によって動機づけられている、と結論することになるだろう。そうした比較に基づいた読解は、別の機会に譲ることにしよう。ここではフーコーが、一九八〇年代初めに倫理の領域を再考することを決意した際に、この特有のモデルと結論からいかに遠ざかろうとしていたかに注意しておくことが重要だと思われる。彼の関心は、ある歴史的に確立された規定的コードがいかにある種の主体形成を強いたか、という考察へと移っている。彼は初期の著作で主体を言説の「効果」として扱っているが、後期の著作では自分の立場に次のようなニュアンスを与え、洗練させている。つまり、主体は一連のコード、規定、規範との関係において、（a）自己の構築が一種のポイエーシスであることを明らかにするだけでなく、（b）自己形成をより広い批判の作業の一部として確立することによって、自分自身を形成するのである。別の場所で論じたように、[19]フーコーにおける倫理的自己形成は、自己を無から根本的に創造することではなく、彼が「その道徳的実践の対象を形成するような自分自身の部分を領域画定する〔こと〕」[20]と呼ぶようなものである。自己に対するこの作業、この領域画定の行為は、主体に先立ち、主体を超えるような一連の規範の中で生じる。これらは、事物についての所与の歴史的シェーマの内部で、主体の理解可能な形成とされるものに限界を設定し、権力や抵抗とともに創出される。主体化＝服従化[subjectivation (assujettissement)] の様態の外部に自分自身の形成（ポイエーシス）は存在せず、従って、主体が取りうる形式を編成（オーケストレート）する規範の外部に自己形成は存在しない。そのとき批判の実践は、事物の歴史的シェーマの限界、主体が現れる認識論的、存在論的地平の限界を暴き出す。これらの限界を暴き出すような形で自分自身を形成することはまさしく、現存の規範に対して批判的関係を維持するような自己の美学を実践することである。一九七八年の講演「批判とは何か」において、フーコーは述べている。「批判は、言わば真理の政治と呼びうるものの中で、主体の脱服従化を保証するだろう」[21]。

『快楽の活用』の序文において、フーコーは、道徳的振舞いとは所与のコードがもたらす規定に従うことでも、原初の禁止もしくは禁令を内面化することでもないことを明らかにしつつ、この自己様式化の実践を規範との関係において明確にしている。彼は次のように述べる。

ある行為が「道徳的」だと言われるためには、それはある規則、ある法、ある価値に従った一つのあるいは一連の行為に還元されてはならない。むろん、あらゆる道徳的行為はそれが実現される現実への関係、それが参照するコードへの関係を含むが、またある種の自己への関係も含んでいる。後者は単なる「自己意識」ではなく、「道徳的主体」として自己を形成することであって、そうした自己形成において個人は、その道徳的実践の対象を形成するような自分自身の部分を領域画定し、彼が従う規則に対する自らの立場を規定し、自らの道徳的完成という価値を持つようなある存在様態を定める。そしてそのようにするために、自分自身に働きかけ、自分を知り、自分を統御し、自分を試練にかけ、自分を完璧なものにし、自分を変容することを試みる。一貫した道徳的行為を拠りどころとしない特定の道徳的行為は存在しないし、自分自身を道徳的主体として形成することを求めない道徳的行為は存在しない。また、「主体化の様態」、それを前提とした「禁欲」あるいは「自己の実践」なき道徳的主体の形成は存在しない。道徳的行為は、自己に対するこれらの活動形式から切り離すことができないのである[22]。

ニーチェと同じくフーコーにとって、道徳性は創造的な衝動の方向を転換させる。ニーチェは、道徳性の内面化が意志の衰弱を通じて生じることを嘆いている――とはいえ彼は、この内面化が、彼自身の哲学的著作とともにまさにこの説明をも含むであろう「理想的、想像的出来事の真の母胎」[23]を形成することを理解しているのだが。

フーコーにとって、道徳性は創造的であり、創造性を必要とし、後に考察するようにある対価を伴うものである。しかしながら、道徳性によって生み出された「私」は、自己非難を行う心的な行為能力（エイジェンシー）とは考えられていない。そもそも、自己はそれ自身といかなる関係を結ぶのか、自己は命令に応答してどのように自分自身を形作るのか、自己はどのように自分自身を形成するのか、また自己は自分自身に対していかなる作業を行うのか、といった問いは、開かれた問いとは言わないまでも、返答の難しい問いである。命令は自己形成、あるいは自己陶冶を強いるのだが、それは、命令が主体に一方的に、あるいは決定論的に働きかけるのではない、ということを意味している。命令は、常に一連の強いられた規範との関係において生じるような、主体の自己形成の舞台をしつらえる。規範はその必然的効果として主体を生産するのではなく、また主体はその反省性を創始するような規範を自由に無視できるわけでもない。人は例外なく、自分では選ぶことのできなかった自分自身の生の条件と闘っている。もしこの闘いの中に行為能力（エイジェンシー）の、あるいはさらに自由の作用が存在するとすれば、それは制約が可能にし、制限するような領域で生じるのである。この倫理的な行為能力（エイジェンシー）は完全には決定されていないし、根本的に自由でもない。その闘いあるいは原初的ジレンマは、世界が生み出すものである。人が何らかの仕方で自分を生み出さねばならないのと同じように。人が自ら選択したのではない生の条件と闘うこと——つまり行為能力（エイジェンシー）——は、逆説的にもこの不自由という本源的条件の持続によって可能になってもいるのである。

多くの批判者が、フーコー——やその他のポスト構造主義者たち——の提示する主体の見方は倫理的熟慮を導く能力、人間の行為能力（エイジェンシー）を基礎づける能力を掘り崩す、と主張したのに対して、フーコーは、彼のいわゆる倫理的著作において、新たな仕方で行為能力（エイジェンシー）と［倫理的］熟慮へと方向を変え、真剣な考察に値する両者の再定式化を提示している。私は最終章で、自分自身を説明するためのフーコーの試みについて、より詳細な分析を行うつもりである。ここでは、より一般的な問いへと目を向けておきたい。自己に基礎を持たない主体、つまりその出現の条件が完全には説明できないような主体を仮定することは、責任の可能性、またとりわけ自分自身を説明する可能性を掘り崩してしまうのだろうか。

もし私たちが、言わば最初から分裂を被り、基礎づけを失い、あるいは一貫性を欠いた存在だとすれば、個人的あるいは社会的責任の概念を基礎づけることは不可能なのだろうか。もしそうでないとすれば、私は、自己認識の限界を認める主体形成の理論が、倫理の、さらには責任の概念をいかに提示しうるかを示しつつ議論を展開したい。もし主体が自分自身にとって不透明であり、自分自身にとって完全に判明でも理解可能でもないとしても、それによって、彼が望むことをしていいとか、他者に対する義務を無視してもいいということにはならない。正しくはまったく反対である。主体の不透明性は、主体が関係的存在——その始原の関係は、意識的な知が必ずしも常に知りうるものではない——と考えられることの結果ではないだろうか。自分自身についての非知の諸契機は、他者への関係において現れる傾向があるが、それはこうした関係が、常に明白で反省的に主題化できるわけではないような、関係の原初的形式に依拠することを示唆している。もし私たちが自分へと回収できない部分のあるような関係の中で形成されているとすれば、その不透明性は私たちの形成に組み込まれているのであり、依存関係の中で形成された存在である私たちの地位の帰結として生じているのである。発達関係に由来する自己への原初的な不透明性を仮定することは、他者に対する倫理的関係にとって一定の含意を持っている。実際、人が自分自身に対して不透明であるのはまさしく他者への関係ゆえであるとすれば、また、他者へのこれらの関係が人の倫理的責任の発生源であるとすれば、そのとき恐らく次のように言うことができるだろう。すなわち、主体がその最も重要な倫理的絆のいくらかを招き寄せ、支えるのは、まさしく主体の自分自身に対する不透明性によってなのである。

本章の残りの部分では、主体形成に関するフーコー後期の理論を検討することから始めて、他者を思考するためにこの理論を用いる際に直面する限界について考える。そこで、自分自身を説明するための社会的根拠を確立しようとする、承認についてのポスト・ヘーゲル的説明へと進みたい。この文脈で、レヴィナスとアーレントの仕事を援用するフェミニズム哲学者、アドリアナ・カヴァレロによる承認のヘーゲル的モデルの批判を取り上げる。[24] 第二章では、精神分析と、無意識が生の物語的再構築に課する限界とに立ち戻る。私たちは自らの様々な自己を説明するよう強いられているにもかかわらず、その説明の構造的条件ゆえ、十分にそうした説明を行うことができない、ということが明らかになるだろう。語りが言及している特異な身体は、語りによって完全に捉えることはできない。それは、身体が反省によって取り戻すことのできない発達史を持っているからというだけではなく、原初的関係が、私たち自身についての理解に必然的な不透明性を生み出す形で形成されているからだ。自分自身についての説明は、常に別の者――想起されるのであれその場に存在するのであれ――に向けて示される。そしてこの別の者が、自分自身を説明する反省的努力よりもさらに原初的な倫理的関係として、呼びかけの光景を確立する。さらに、私たちが説明のために用いる言葉、自分自身を自分と他者たちにとって理解可能にするために用いる言葉は、私たちが作ったものではない。それは社会的特性を持っており、社会的規範、つまり不自由の領域と、取り換え可能性――私たちの「特異な」物語はその中で語られる――を確立するものである。

私はこの探究において、様々な哲学者と批評理論家を折衷的に用いている。彼らすべての立場が互いに両立可能なわけでもないし、ここで私は、彼らを総合しようと試みているわけでもない。私の意図は総合ではないが、それぞれの理論は、倫理的に重要な事柄――それは、自分を説明しようとする努力の条件をなす諸限界から帰結している――を示唆している、と主張しておきたい。ここから私は、私たちがしばしば倫理的「失敗」と見なすものには恐らく倫理的誘因があり、ポスト構造主義をあまりに早急に道徳的ニヒリズムと同一視する人々には正当に評価されてこなかったような重要性がある、という点を論じたい。

第三章では、主体の出現を確立するための共時的、通時的作業について、主体形成に関するこれらの説明の倫理的含意も含めて考察する。また、倫理的配置のいわゆる人間的局面と非人間的局面との間で交渉を行う責任の理論に、アドルノがもたらした貢献についても考察する。その際、いかに批判的政治が倫理に結びついているか、さらには、自分自身の一人称的説明を要求することもあるような道徳性に結びついているかを検討する。私が示そうと考えているのは、道徳性はその社会的諸条件の現れでも、そうした諸条件を超越した場でもなく、行為能力(エイジェンシー)の決定と希望の可能性にとって欠くことができないものだ、ということである。フーコーの自己批判の助けを借りて、倫理の問題はまさしく私たちの理解可能性のシェーマの諸限界において現れる、ということを示すことができるだろう。この限界とは、いかなる共通の地盤も想定されないような対話を続けることにどんな意味があるのか、と私たちが自問する場であるような限界である。そこで人は、言わば知の限界にいるのだが、また、承認を与えてほしい、また承認を受けたいと要求されてもいる。つまり人は、呼びかけられるべくそこにいる別の誰か、その人の呼びかけが受け止められるべく存在するような別の誰かに直面しているのである。

フーコー的主体

一九八〇年代のフーコーの仕事の中心に現れる問い、つまり自己構築についての説明の中では、真理の体制が自己承認を可能にする言葉を与えている。この言葉は、ある意味で主体の外に位置するが、しかしそれは、自己承認を可能にする有効な規範としても示されている。従って、私が文字通り何で「あり」うるかは、何が存在の認識可能な形式であり、またそうではないかを規定する真理の体制によって、前もって制約されているのである。真理の体制は、認識がどのような形式を取りうるかを前もって決定しているにもかかわらず、その形式を完全に拘束しているわけではない。実際、「決定」という言葉は強すぎる。なぜなら真理の体制とは、承認の光景に枠組みを与え、誰が承認の主体として適格であるかを描き出し、承認行為に役立てうる規範を提供するものだからだ。フーコーの見方では、真理の体制への関係、つまり自己陶冶の様態は常に存在するが、そうした様態は、件の規範において生起し、とりわけ、「私」とは誰かという問いに対する答えを規範との関係において交渉する。この意味で、たとえ規範が、私たちが後に行う一連の決定に枠組みと参照点を与えるとしても、私たちは規範によって決定的に規定されているわけではない。これは、所与の真理の体制が認識に不変の枠組みを与えるということではない。それはただ、認識が生まれ、あるいは認識を支配する規範が変化、変容を受けるのはこの枠組みとの関係においてである、ということにすぎない。

しかし彼の主張の要点は、そうした規範への関係が常に存在する、ということのみならず、真理の体制へのどんな関係も同時に私自身への関係をなす、ということでもある。批判の作業はこの反省的次元なしに生じることはない。真理の体制――それこそが主体化＝服従化［subjectivation］を統御している――を問うことは、私自身の真理を問うことであり、さらには、私が自分自身について真理を語る能力、私自身を説明する能力を問うことなのである。

こうして、もし私が真理の体制を問題にするなら、私はまた、存在と私自身の存在論的地位を配置する体制をも問題にすることになる。批判とは単に、所与の社会的実践、もしくは実践と制度が現れる場である理解可能性の地平について
の批判ではなく、私が自分自身を問うことをも含んでいるのである。フーコーにとって自己への問いかけは、彼が「批判とは何か」で明らかにしたように、批判の倫理的帰結となる。それはまた、この種の自己への問いかけが、他者によって認識される可能性を失う危険を冒すことで、自分自身を危険に曝す、ということも明らかにしている。というのも、私の存在を支配する認識の規範を疑問に付すこと、つまり規範が何を除外するのか、規範が何を順応させるよう強いるのかと問うことは、現在の体制との関係において、主体として認識されない危険を冒すことであり、あるいは少なくとも、自分とは誰であるのか（誰でありうるのか）、自分は認識可能か否か、という問いを提示することだからである。

これらの問いは、倫理哲学にとって少なくとも二種類の問いを意味している。第一に、私の存在そのものが託されるこれらの規範、私を認識可能な主体という地位に就け、あるいはさらに、その地位から退かせるこれらの規範とは何だろうか。第二に、この他者とはどこにいて、誰であるのか、また他者の概念は、認識可能な主体になるための私の可能性を保持し、付与するような、参照の枠組みと規範的地平を含んでいるのだろうか。フーコーを、倫理の考察において、明確な仕方で他者により大

きな場所を設けなかった、と批判することは正当だと思われる。これは恐らく、自己と他者という二者間の光景が、主体の生産と間主体的なやりとりを条件づける、規範性の社会的作用を十分に記述することができない、という理由からなのだろう。もし、フーコーは他者を思考することに決定的に失敗している、と結論づけるなら、私たちは、自己の存在そのものが、（レヴィナスが述べたように）特異性としての他者の存在に依拠するだけでなく、承認の光景を支配する規範性の社会的次元にも依拠している、という事実を見逃してしまったことになるだろう。[25] たとえ、私たちがまさしく二者間のやりとりにおいて規範性の領域と接点を持つように思われるとしても、規範性の社会的次元は、いかなる二者間のやりとりにも先立ち、それを条件づけているのである。

私が他者を、あるいはさらに、私自身を承認する手段である規範は、私だけのものではない。規範は、それが社会的であり、それが条件づけるあらゆる二者間のやりとりを超えている限りにおいて機能する。しかしながら、規範の社会性は、構造論的全体性としても、超越論的あるいは準超越論的不変性としても理解することができない。むろん、承認が可能になるためには、規範が既に適切な場所に存在していなければならない、と言う者もあるだろうし、そうした主張には確かに正しいところがある。また、承認のある種の実践、あるいはさらに、承認の実践におけるある種の挫折は、規範性の地平内部の裂け目の場を示しており、支配的な規範の地平の所与性を疑問に付しつつ、暗黙に新たな規範の設立を要請する、ということも確かだ。規範的地平――私はその内部で他者を見ており、あるいはさらに、他者もその内部で見聞きし、知り、認識する――もまた、批判的な開かれに従属しているのである。

これは、他者の概念を規範の社会性へと折りたたみ、承認を与える規範の中に暗黙に他者が現前している、と主張するものではない。まさしく他者の認識不可能性こそが、承認を決定する規範に危機をもたらすこともある。承認を与え、受けるための繰り返し挫折する努力の中で、承認が生じる場である規範的地平を私が疑問に付すとすれば――また実際にそうするとき――、この疑問は承認を求める欲望の一部になってしまう。その欲望とは、いかなる充足も見出すことができず、その充足不可能性が、利用可能な規範を疑問に付すための批判的な出発点を作り出すような欲望である。

フーコーは、この開かれこそが既存の真理の体制の限界を疑問に付すのであり、そのとき、自己をある意味で危険に曝すことが美徳の徴しである、と主張する。[26] そのとき彼が述べていないのは、私自身の真理を確立する真理の体制を疑問に付すことが、時として、ある者を承認したい、あるいは別の者によって承認されたいという欲望によって動機づけられている、ということだ。私にとって利用可能な規範の内側ではそうすることができないということが、これらの規範に批判的関係を取るよう私に強いるのである。フーコーにとって、真理の体制が疑問に付されるのは、私にとって利用可能である関係の内側では、「私」は私自身を承認することができない、あるいは私自身を承認することがないからだ。主体化＝服従化が生起するような関係を逃れようとする、あるいはそのような関係を乗り越えようとする努力において、私と規範との闘いは私自身のものである。フーコーの問いは、実際、「私にとっての存在論を決定する真理の体制が与えられているとき、私は何者でありうるのか」というものに留まっているのである。彼は「あなたは誰か」とは問わないし、規範に関する批判的視線がこれら両者の問いから練り上げられる方法をたどることもない。この袋小路の結果について考える前に、フーコーについて最後に一点だけ示唆させていただきたい。なお、フーコーについては後に立ち戻ることにする。

「私は他者をいかに扱うべきか」という倫理的問いを提示すれば、私はすぐさま社会的規範性の領域に捉えられることになる。というのも、他者が私にとって現れ、私にとって他者として機能するのは、他者を私から分離し、私の外部にあるものとして理解し、把握しうるような枠組みが存在するときだけだからだ。従って、私が倫理的関係を二者関係、あるいはさらに、前社会的関係と考えるにせよ、「私はあなたをどのように扱うべきか」という直接かつ単純な倫理的問いを提示するとき、私は規範性の領域のみならず、権力の問題構成にも捉われていることになる。もし「私」と「あなた」が最初に存在しなければならないとすれば、また規範的枠組みがこの出現と出会いに不可欠だとすれば、規範は私の行為を導くだけではなく、私自身と他者との出会いを生み出す条件を規定するためにも機能しているのである。

倫理的問いが想定する一人称的見方と、「あなた」への直接の呼びかけは、このように、倫理的領域が社会的なものに基本的に依拠していることによって方向を失ってしまう。他者は、特異であれ、そうでないのであれ、承認可能性を支配する一連の規範を通じて承認され、承認を与えられる。従って、他者が特異なものである——根本的に独自なものでなくとも——としても、規範はある程度、非人称的、中立的であり、出会いとしての承認の直中に主体の視点を狂わせるものを導入するのである。例えば、もし私があなたに承認を与えるものとして自分を理解するなら、そのとき私は、承認は疑いなく私に由来すると考えることになる。しかし、私が承認を与える手段をなす関係は私だけのものではなく、私が独力でそれを発明、あるいは形成したのではない、と理解した瞬間から、私は言わば、私が与えた言葉によって収奪されてしまう。ある意味で、あなたに承認を与えたとき、私は承認の規範に服従している。つまり、「私」はこの承認を自分自身の力で与えているのではない。実際「私」は、こうした承認を与えた瞬間、規範に従属し、規範の効力（エイジェンシー）の道具になってしまう。こうして「私」は、規範を用いようとする限りで、規範によって避けがたく用いられているように思われる。私は、「あなた」への関係を持っていると考えたにもかかわらず、規範との闘いのうちに捉われていることを見出すのだ。しかし、あなたに承認を与えようとする欲望のためでなければ、私はこの規範との闘いの中にいることはなかっただろう、というのもまた正しいのではないだろうか。この欲望をどのように理解すればよいのだろうか。

ポスト・ヘーゲル的問い

私が他者によって承認されたと自分を認めるのは、この他者による承認が私を変容させる限りでしかない。それは欲望であり、欲望の中に揺らめくもののことである。

――ジャン゠リュック・ナンシー『ヘーゲル――否定的なものの不安』

恐らく、私がたったいま検討した例は誤解を招くものかもしれない。というのも、ヘーゲルが述べたように、承認は一方的に与えられることはないからだ。私が承認を与えるとき、私は潜在的に承認を与えられており、また私が承認を与える形式は潜在的に私に与えられている。この暗黙の相互性は、『精神現象学』の「主人と奴隷」の節において、第一の自己意識が他者の自己意識に対する一方的効果を得ることができない、と理解する部分で言及されている。彼らは構造的に似かよっているため、一方の行為は他方の行為を含意するのである。自己意識はこの教訓を、他者に対する攻撃の中で、二者間の構造的類似を破壊して、自ら統治者の立場に復帰しようとするむなしい努力において初めて学び取る。「一方のもののこの行為は、それ自体、自分自身の行為であると同時に他者の行為でもあるような、存在の二重の意味を持っている。〔……〕おのおのは、自分が行うのと同じ行為を他者が行うのを見る。おのおのは、自分が他者に要求することを自ら行うのであり、結果として、他者が同じことを行う限りでのみ、自らが行うことをなす」[27]。

同じように、競い合うこれら二主体間で承認が可能になるなら、暗黙の相互性という構造的条件を免れることは決してできない。そのとき、純粋な贈与としての、ヘーゲル的意味での承認を私は決して与えることができない、と言うこともできる。少なくとも潜在的かつ構造的に、贈与の瞬間に、またその行為において、私は承認を受け取っているからだ。ヘーゲルの立場についてレヴィナスが的確に問うたように、これほど早く私の元に帰ってきて、決して私の手から離れることがないこの贈与とは何なのか、と問うこともできるだろう。承認とは、ヘーゲルが述べたように、他者が私と同じ仕方で構造化されていることを私が認める、という相互行為のことなのだろうか。また、他者もまたこの同一性の承認を行う、あるいは行うことができる、と私は認めるのだろうか。あるいは、同一性に還元することのできない他者性との別の出会いが恐らく存在しているだろう、ということなのだろうか。もし後者であるとすれば、この他者性をいかに理解すべきだろうか。

　ヘーゲル的他者は常に外側に見出される。少なくとも、最初は外側に見出され、後になって初めて主体を構成するものと認識される。この点から、ある種のヘーゲル批判が導かれることになった。その批判とは、ヘーゲル的主体は外的なものを主体にとって内的な一連の特徴へとまるごと同化するものであり、その特徴的な動作は我有化と、帝国主義というスタイルである、と結論づけるものである。しかし別のいくつかのヘーゲル読解は、他者への関係は脱自的であり[28]、「私」は自分を繰り返し自分自身の外部に見出すのであって、この外在性――それは逆説的にも私自身のものである――の繰り返される出現に終止符を打つことはできない、と強調する。私はあたかも、常に自分自身に対して他者であるかのようであり、私が自分自身へと回帰する最後の瞬間は存在しない。実際、『精神現象学』に従うなら、私は自分が経験する出会いによって確実に変容されるのである。承認はかつての私とは異なったものになる過程となり、かつての私に戻ることはもはやできなくなる。そのとき、承認の過程には構成的な欠如が存在する。なぜなら、「私」は承認行為を通じて変容されるからだ。そのすべての過去が承認行為の中に蓄積され、その中で知られる、というのではない。承認行為は、承認を受ける者の現在を変容すると同時に、その過去の組織化とその意味を変容するのである。承認とは、「自己への回帰」がまた別の理由から不可能になるような行為である。ある他者との出会いは自己の変容をもたらし、そこから後戻りすることはできなくなる。このやりとりの中で自己について認められることは、自己とはその内部に留まることが不可能であると証明されるような存在である、ということだ。人は自分自身の外へと向かうよう強いられ、そう導かれる。人が自分自身を知るのは、自分自身の外側に、自分自身の外部に、自分が作ったのではない慣習や規範によって生じた媒介によってのみであり、そのとき人は、自分自身を作り上げる作者あるいは行為主体として自らを認めることができない。この意味で、ヘーゲル的な承認の主体とは、欠如と脱自性の間を避けがたく揺れ動くような主体なのである。「私」の可能性、「私」を語り、知る可能性は、それが条件づける一人称的視点を脱臼させるような視点にある。

私自身の視点の可能性そのものの中から私を条件づけ、混乱させるような視点は、他者の視点には還元されない。この視点はまた、私が他者を承認し、他者が私を承認する可能性をも支配しているからだ。私たち自身は単に二者的存在ではない。私たちのやりとりは、その本性からして社会的であり、やりとりに関与する人々の視点を超えた、言語、慣習や、規範の堆積によって条件づけられ、媒介されているからだ。それでは、私たちの個人的な出会いを生み出し、また混乱させる非人称的視点をどのように理解すべきなのだろうか。

ヘーゲルが時に、承認を二者間構造として理解するという過ちを犯しているにもかかわらず、『精神現象学』において、承認のための闘争が決定的な用語ではない、ということは理解できる。重要なのは、『精神現象学』で舞台に上げられたような承認のための闘争によって、二者関係が、社会的な生を理解するための参照の枠組みとしては不適切であることが顕わになる、という点を理解することだ。いずれにせよ、結局この光景に続くのは慣習（道徳性［Sittlichkeit］）の体系であり、従って、規範――それによって相互承認は、生死をかけた闘争や奴隷制によるより安定した仕方で維持される――による社会的説明である。

二者間のやりとりは、承認のための闘争に関与する者たちの視点を超えた、一連の規範を参照している。私たちは、何が承認を可能にするのかと問うとき、それを可能にするのは単に、私を特別の才能もしくは能力を持ったものだと理解し、承認できるような他者ではありえない、ということを知る。なぜなら、他者もまた――たとえ暗黙にではあれ――、自己について、誰にとっても承認可能なものは何であり、何でないかを規定する判断基準、つまり私が誰であるかを理解し、判断するような枠組み、といったものに依拠しているからだ。この意味において、他者が承認を与えるのは――また、私たちはさらに、承認が何に存するのかを正確に知らねばならない――もっぱら、私が誰であるかを見分け、私の顔を読み取る特殊な内的能力によってである。もし私の顔がともかくも読み取り可能であるとすれば、それは、その読み取り可能性を条件づける視覚的枠組みに参与することでのみ可能となる。もしある者たちが私の顔を「読み取り」、他の者たちがそうできないとき、私を読み取ることができる者たちは、他の者たちが欠いている内的能力をもっているというだけのことなのだろうか。あるいは、年月をかけていわゆる「能力」といわれるものを生み出すようなある枠組みやイメージとの関係において、ある読み取りの実践が可能になるのだろうか。例えば、もし［レヴィナスが言うように］人間の顔に対して倫理的に応答すべきであるなら、まずそこに、人間にとっての枠組みが存在しなければならない。つまり、用意された例として、多くのヴァリエーションを持つような枠組みが存在しなければならないのである。しかし、「人間的なもの」の視覚的表象がいかに議論に曝されているかを考えれば、人間の顔としての顔に応答する私たちの能力が、時に人間化し、また時に脱人間化するような参照の枠組みによって条件づけられ、媒介されていると考えられるだろう。

こうして、顔に対する倫理的応答が可能になるためには、視覚的領域での規範性が必要とされる。そのとき既に、顔が現れる認識論的枠組みだけではなく、権力の作用が存在している。というのも、ある種の人間中心主義的配置と文化的枠組みによってのみ、示された顔は各人にとって人間の顔として現れるからだ。[29] 結局いかなる条件の下で、ある者は顔を、つまり読み取り可能で可視的な顔を獲得し、別の者は獲得しないのだろうか。出会いに枠組みを与える言語が存在しているのであり、この言語の中に、何が認識可能性を構成し、また構成しないかに関わる一連の規範が埋め込まれている。これはフーコーが指摘した点であり、またある意味では、「同時代的な存在秩序が与えられていると き、私は何になりうるのか」と問うことで、彼がヘーゲルに付加した点でもある。「批判とは何か」の中でフーコーは述べている。「それゆえ私とは何者なのか。この人類に属する私とは。真理一般と個別真理の権力に服従する人類の、恐らくはこの一部、この瞬間、この一瞬に属しているこの私とは」[30]。フーコーの理解では、この「秩序」が彼の生成変化の可能性を条件づけているのであり、また――彼の言葉を使うなら――真理の体制こそが、彼の自己の真理、彼が自分自身について示す真理、彼がそれによって知られ、人間として認識されうるような真理、彼の自分自身についての説明を、何が構成し、構成しないかに制約を加えているのである。

「あなたは誰か」

あなたは私を知らない、と匿名の人は強調する。だから何なのか、と。

——リイ・ギルモア『自伝の限界』

承認に関する社会理論が、主体の理解可能性を構成する規範の非人称的作用を強調するにもかかわらず、私たちは主として、直接的な生きたやりとりを通じてこれらの規範に接している——つまり、私たちは何者であり、私たちの他者への関係はいかなるものであるべきか、という問いを取り上げるよう呼びかけられ、求められるその仕方を通じて。これらの規範が、私たちが呼びかけられるという仕方で私たちに働きかけるとすれば、特異性の問題が、特定の場合の呼びかけ——それは、これらの規範が生き生きとした道徳性の中に我有化される手段である——を理解する出発点を与えてくれるだろう。あたかも私たちの個性の内容を書き込むだけであるかのように私たちが「何者なのか」と問うべきではない、とレヴィナス的な——恐らくは、さらに明白にアーレント的な——手法で、アドリアナ・カヴァレロは論じている。問いはそもそも、フーコーが「私は何者になることができるか」と問うような仕方で私たち自身に向けられた、反省的なものではない。彼女にとって、問いを提示する呼びかけの構造そのものが、私たちにその意味を理解する手がかりを与えてくれるのである。承認のための最も中心的な問いは直接的な問いであり、それは他者に「あなたは誰か」という形で向けられる。この問いは、私たちの前に未知で、完全に把握することのできない他者が存在することを想定しており、その唯一性と取り換え不可能性は、ヘーゲル的図式の中で示されていた相互承認のモデルに、またより一般的には、他者を知る可能性に限界を設定する。

カヴァレロは、社会的なものについてのアーレント的概念――彼女は、その社会的重要性ゆえにこの概念を模倣している――に基づいて、この発話行為が演じる行為を強調する。こうした目的から、彼女はアーレントの『人間の条件』を引用する。「行為と発話がこれほど極めて密接に結びついているのは、根源的でとりわけ人間的な行為が、あらゆる新参者に問いかけられる「あなたは誰か」という問いへの答えを同時に含まねばならないからだ」[31]。

『語りを結びつける』の中で、カヴァレロは倫理に対する根本的に反ニーチェ的なアプローチを提示している。そこで彼女が主張するのは、「誰」という問いが利他心の可能性を与える、ということだ。「誰という問い」によって彼女が意味しているのは、「誰が誰のためにこれを行ったのか」といった、厳密に道徳的な説明可能性についての問いではない。むしろこれは、私が完全には知ることのない、また知ることのできない他者が存在する、と断定する問いなのである。カヴァレロはその第二章で、アーレントは関係的政治を確立するために「誰」の政治に焦点を絞っており、そこで、他者の曝され、可傷性（ヴァルネラビリティ）が私に対する本源的な倫理的要求を形作る、と論じている[32]。

生は本質的に破壊と苦痛に結びついている、とするニーチェの見解とはまったく対照的に、カヴァレロは、私たちは必然的に、その可傷性と唯一性において互いへと曝された存在であって、私たちの政治的立場は一つには、この不断で不可欠な曝されをいかに適切に操るか――そして尊重するか――を学ぶ点にある、と主張する。ある意味で、主体の「外部」についてのこの理論は、ヘーゲル的立場における脱自的傾向を徹底させる。彼女の見方では、私とは、自分自身に閉じこもった、独我的な、自分自身についてだけ問いかけるような、言わば内的主体ではない。私は重要な意味であなたに対して存在しており、あなたのおかげで存在している。もし私が呼びかけの条件を喪失すれば、もし私が呼びかけるべき「あなた」を持たないなら、私は「私自身」を失ってしまう。彼女の考えでは、人は他者に対してのみ自伝を語ることができ、「あなた」との関係においてのみ「私」に言及することができる。「あなた」が存在しなければ、私自身の物語は不可能になってしまうのである。

カヴァレロにとってこの立場は、社会性を理解する従来の方法を批判するという含意を持っており、この意味で、ヘーゲルに見られる展開を反転させるものだ。『精神現象学』が二者間のシナリオから承認の社会理論へと向かうのに対して、カヴァレロにとって、社会的なものの基礎を二者の出会いに置くことは不可欠である。彼女は述べている。

私たち以前に、あなたたち以前に、そして彼ら以前に「あなた」が到来する。症候的なことに、「あなた」とは倫理と政治の近現代的展開になじみのない言葉である。「あなた」は、私の権利を賞賛することにあまりに専心する個人主義的教義によって無視されており、親愛なる「あなた」と自分に呼びかける私を舞台に上げることしかできないカント的形式の倫理学によって覆い隠されているのだ。「あなた」は個人主義に対立する諸学派の中にも居場所を見つけることができない――これらの学派はほとんど、道徳主義的な悪徳に影響されたものとして姿を現すのである。この悪徳とは、私が堕落に陥るのを防ぐために、あなたへの接近を避け、集合代名詞、複数代名詞を特権化するものだ。実際、多くの革命運動（それは伝統的な共産主義からシスターフッドのフェミニズムにまで及ぶ）は、代名詞に関する内在的道徳を基礎とする奇妙な言語コードを共有しているように思われる。私たちは常に肯定的で、あなたたちはありうべき味方であり、彼らは敵対者の顔を持ち、私は不適切であり、そしてあなたはむろん余計者である。[33]

カヴァレロによれば、「私」は、他者についてのあれこれの属性に出会うだけでなく、この他者が根底から顕わに曝され、可視的で、視覚化され、身体的に存在し、必然的に現象の領域にある、という事実に出会う。私というこの曝されが、言わば私の特異性を形成しているのである。私はそれを厄介払いすることはできない。というのも、それは、私そのものの身体性の特徴であり、その意味で私の生そのものの特徴だからだ。しかし、それは私が統御できるものではない。ハイデガー的語調を借りてカヴァレロの見方を説明するなら、いかなる者も私の代わりに曝されることはないのであり、こうして私は取り換え不可能な存在である、ということになる。しかし、規範の非人称的視点を強調するヘーゲル的社会理論は、結局のところ、私の取り換え可能性を立証することによってこれに反対するのだろうか。規範との関係において、私は取り換え可能なのだろうか。いやしかし——とカヴァレロは主張する——、公共圏の中で身体的に構成された存在として、私は曝された特異な存在であり、これは、私が規範の働きを通じて認識可能になるのと同じように、私の公共性の——社会性のではないにせよ——一部なのである。

カヴァレロの議論は、攻撃と刑罰についてのニーチェ的説明を掘り崩すとともに、私たちに対してヘーゲル的社会性を要求する主張に限界を設定し、別の承認理論への方向性を与えもしている。ここで少なくとも二点主張しておこう。第一点は、他者に対する基本的な依存性、つまり、私たちは他者に呼びかけることなしには、また他者から呼びかけられることなしには存在することができず、また私たちの根本的な社会性を消し去ることはできない、という事実である。（カヴァレロが用いないよう忠告しているにもかかわらず、私がここで複数形の私たちを用いている点にお気づきだろう。それを断念しなければならない、と私が確信するに至っていないからだ。）第二点は第一点を限定するものである。私たちそれぞれがどれほど承認を欲し、承認を必要としていようとも、だからといって、私たちは他者と同じではないし、すべてが同じ仕方で承認と見なされるわけでもない。誰も特別な心理学的ないし批判的技術のみによって他者を認識することはできず、規範が承認の可能性を条件づけるのだ、と私は論じたのだが、にもかかわらず、私たちは他の人々よりも一部の人々によって適切に承認されていると感じる、という点はやはり重要である。この差異は、規範が可変的に作用する、という考えを援用するだけでは説明されない。カヴァレロは、私たちが語らねばならないそれぞれ別個の物語の中で明確になるような、私たちそれぞれの存在の還元不可能性という考えに賛同しており、集団的な「私たち」に同一化しようとする努力は必然的に失敗するだろう、と考える。カヴァレロは次のように指摘している。

> 私たちが関係の利他的倫理と呼ぶものは、感情移入、同一化、あるいは混同を支えるものではない。むしろこの倫理は、その唯一性と差異において、真に他者であるあなたを欲するのである。あなたがいかに類似的、調和的であれ、あなたの物語は決して私の物語ではない、とこの倫理は

言う。私たちの人生の物語の大まかな特徴がどれほど似たものであれ、私はやはり私自身をあなたの中に認めていないし、ましてや集団としての私たちの中には認めてはいない[34]。

他者の唯一性は私に対して曝されているが、私の唯一性もまた他者に対して曝されている。これは、私たちが同じだということではなく、私たちが互いを差異化するものによって、つまり特異性によって互いに結びつけられている、ということだ。特異性の概念は極めてしばしば実存主義的ロマン主義と本来性への要求とに結びつけられるが、私の考えでは、その概念がまさしく内実を欠いているがゆえに、私の特異性はあなたの特異性と属性において共通の部分を持っており、だからこそある程度まで取り換え可能な項なのである。言い換えれば、カヴァレロは、特異性が取り換え可能性に限界を設定すると論じるときにさえ、特異性は、曝されの還元不可能性――時に私的であり、時に匿名的である、公共性に曝されたこの身体であることとの還元不可能性――以外に規定的内実を持たない、と論じている。ヘーゲルは、『精神現象学』の中で「これ」について論じ、「これ」は全体化することなしには決して特殊化せず、その取り換え可能性ゆえに、それが指し示そうとする特殊性を掘り崩してしまう、と述べている。「私は、個別的なものというとき、実はそれをまったく一般的なものだと言っている。なぜなら、すべてのものは個別的なものだからだ。同じように、人々が求めているものはすべてこのものである。さらに正確に表現して、この一枚の紙と言うとき、すべての紙、どの紙もこの一枚の紙なのであり、私は相変わらずただ一般的なものを語っているだけである」[35]。身体的存在から帰結する、特異化する曝されという「この」事実は、それが絶え間なく反復されるものである限りにおいて、私たち全員を平等に特徴づけつつ集団的条件を構成する。それは、単に「私たち」を再導入するだけでなく、特異性の核に取り換え可能性の構造を設定するのである。

この結論はあまりにも見事にヘーゲル的だ、と考える人もいるだろう。しかし、この点についてさらに検討しておきたい。というのも、この論点は自分自身を他者に向けて説明するという問題に倫理的帰結をもたらす、と私は考えているからだ。例えば、この曝されは語りえないものである。それが私の行うあらゆる説明を構造化していようと、私はそれについて語ることができない。私は規範を通じて自分自身を認識可能なものにしようとするが、そのような規範は、完全には私のものでない。これらの規範は私と共に生まれたものではなく、それらの発生の時間性は私自身の生の時間性とは一致しない。従って、私の生を認識可能な存在として生きることで、私は複数の時間性のベクトルを生きている。そのうちの一つは私の死が終点であるが、別のものは、私の認識可能性を確立し、維持する規範の社会的、歴史的時間性である。これらの規範は言わば、私や私の生、私の死に無関心である。規範は、私の時間性とは同一でない時間性に従って出現し、変容し、存続するので、また、ある仕方で私の生をその理解可能性の中に維持するので、規範の時間性は私の生の時間を妨げる。逆説的ではあるが、それにもかかわらず私の生存を支えているのは、私の生の視点のこの妨害、この混乱、社会性におけるこの無関心という審級なのである。

フーコーはこの点を、「質問への回答」というテクストにおいて、ドラマティックに語っている。彼は述べている。「私は他の人とほぼ同程度には、こうした探求が言葉の正確な意味で「報いるところのない」ものであることを知っているつもりです。言説を、そこに表現されているあの甘美で沈黙した内奥の意識からでなく、匿名の規則の謎めいた総体から研究することの砂を嚙むような感じを知っているつもりです」。そしてさらに付け加える。「私の言説には私の死後の生が賭けられているのではないと想定すべきなのか。話すことによって私は死を祓いのけるのではなく、私の死を築くのだと考えるべきなのか。あるいはむしろ、私の生にはかくも無関心で、かくも中性的なあの外部へと私はあらゆる内面性を廃棄してしまうのであって、言説において私の生と私の死の間にはいかなる差異も存在しないということになるのか」。これらレトリック的疑問は、自分自身の生は言説を通じては遂行されないし、拡張されない、という事実を前にした、不可避の感覚を描き出している（たとえこれらの疑問が、私たち自身の生よりも最終的に活力ある生を持つものとして、暗に言説を賛美しているとしても）。言語が私的な主体性――その死は言語において同じように乗り越えられる――の場所を提供していると信じる人々に対して、フーコーは述べている。「彼らは次のようなことを聞くことに耐えられない。そして、それは少しは理解できることです。つまり、言説は生ではなく、言説の時間はあなた方の時間ではない、と」[36]。

　従って、私が言説を用いて行う私自身の説明は、この生ける自己を決して十全に表現したり、伝えたりすることができない。私の言葉は、私が言葉を提示すると連れ去られ、私の生の時間と同一でない言説の時間によって中断される。この「中断」は、私自身にしか基礎を持たない説明の意味を疑問に付す。というのも、私の生を可能にする無関心の構造は、私を超えた社会性に属しているからだ。

　実際、私のものとしての私の視点のこの中断と収奪は様々な形で起こりうる。避けがたく社会的な規範の働きが存在し、何が認識可能な説明であり、何がそうでないかを条件づける。それはまさしく、私が規範を用いている程度に私が規範によって用いられる、ということから例証される。また、人間に認識可能なものを決定したり、その条件を何らかの形で取り決めたりする――その取り決めに由来する様々なリスクを伴って――ような規範に合致しない部分がある、私自身についての説明は存在しない。しかし後に説明するように、本当のところ、私は誰かに対して説明しているのであり、説明の宛先［address］――現実の宛先であれ、想像上の宛先であれ――は、私自身についてのこの説明が私自身のものである、という感覚を中断すべく機能してもいる。もしそれが私自身についての説明であるのなら、またそれが誰かに対する説明であるのなら、そのとき私は、私の説明としてそれを確立するまさにその瞬間に、説明を取り逃し、放棄し、収奪されるよう強いられるのである。いかなる説明も呼びかけ［address］の構造の外に生じることはない。たとえ、名宛人が言外で伏せられたままであり、匿名で明記されないままであっても。呼びかけは一つの説明として説明を確立するのであって、それゆえ説明は、それが私自身に固有なものの領域から実質上取り去られ、収奪されるときにのみ完成される。この収奪においてのみ、私は自分自身を何らかの形で説明することができるし、また実際に説明するのである。

もし私が自分自身を説明しようとし、自分自身を認識可能で理解可能なものにしようとするなら、そのとき私は、自分の生についての物語的説明から始めるかもしれない。しかし、この語りは、私のものでないもの、あるいは私だけのものでないものによって方向を失ってしまうだろう。また私は、自分自身を認識可能にするために、私をある程度は取り換え可能なものにしなければならないだろう。「私」という語りの権威は、私の物語の特異性に異議を唱える、一連の規範が持つ視点と時間性に取って代わられねばならないのである。

確かに私たちは、それにもかかわらず自分の物語を語ることができるし、まさしくそうしなければならない多くの理由が存在するだろう。しかし、ある語りの構造を備えた完全な説明を行おうとするとき、私たちはそれほど権威的であることはできないだろう。「私」は、自分がその場に居あわせることのできなかった物事のなりゆき――つまり、一連の起源を知り、構築しうる主体として自分自身が出現する以前の物事のなりゆきであるが、そのような起源は、権威的知を犠牲にしてのみ語ることができる――を証明することなしには、自分の出現の物語を語ることも、自分自身の可能性の条件を語ることもできない。確かに、こうした状況下でも語りは可能だが、それは、トマス・キーナンが指摘したように、疑いなく寓話的なものである。[37] 虚構の語り一般は、語りとして機能するためにいかなる指示対象も必要としないのであって、指示対象の回復不可能性や予めの排除は、説明が語りの形式を取るなら、まさに私自身を説明するための可能性の条件である、と言うことができる。元の指示対象を回復することができないからといって、語りは破壊されるわけではない。その回復不能性は「虚構の方向に」――とラカンなら言うだろう[38]――語りを作り出す。だからより正確には、私は自分の起源の物語を語ることができるし、それを繰り返しいくつもの仕方で語ることさえできる、と言うべきだろう。しかし、私が語る自分の起源の物語は、私を説明してくれるものではないし、私の説明可能性を確立してくれるものでもない。少なくともそう望まないようにしよう。なぜなら私は、常にワインを片手に、そうした物語を様々に語るのだし、それらの説明は常に一貫しているとは限らないからだ。実際、起源を持つことは、まさしく起源についていくつもの可能な見方を持つことでありうる（私はこのことを、ニーチェが系譜学の作業によって意図したことの一部と解釈している）。これらはそれぞれ可能な語りだが、そのどれについても、それだけが正しいという確信をもって語ることはできないのである。

私は実際、自分の出現のある種の条件に語りの形式を与えようとすることもできるし、「他者に対して曝されていること」が私にとってどんな意味を持っているか、あの私的領域、あるいは公的領域に出現するこの身体であるとはどういうことかについて、言わば物語を語ろうとすることも、また、言説中の規範についての物語——いつどこで私がそれらの規範を学んだか、それらについてどう考えたか、どの規範がただちに体内化されたか、どんな方法でか——を語ろうとすることもできる。この点において、私が語る物語、ある種の必然性を持った物語は、その指示対象が十全に語りの形式を取ると想定することができない[39]。というのも、私が語ろうとする曝されは、その語りの前提条件でもあり、言わば、語りという形式には従属しえない事実性でもあるからだ。そして、もし私が「あなた」に物語を語るとすれば、その他者は語り内部の特質のみならず、呼びかけという様態の還元不可能な外的条件、軌跡としても現れるのである。

そのとき、私が自分自身について行いうる説明が、いくつかの仕方で粉々に砕け、掘り崩される可能性がある。自分自身を説明しようとする私の努力が、ある部分で掘り崩されるのである。というのも、私は自分の説明をあなたに宛てており［*address*］、私の説明をあなたに宛てながら、私はあなたに曝されているからだ。私の語りの中で宛先が含意するこの曝されそのものを、私は説明することができるだろうか。この曝されは、語られた言語において、また様々な形で——書かれた呼びかけにおいても——生じている。しかし、それを説明することができるかどうかは確実ではない。[40] それは言わば、私の叙述——つまり、私がもたらしうるいかなる語りの内部でも完全には主題化できない叙述であり、連続性を持った説明に完全には身を委ねることのない叙述——の条件として存在しているのだろうか。たとえ私の身体がどこに向かい、何をしたか、何をしなかったかについて疑う余地のない物語が存在しているとしても、身体的指示対象、つまり私が指摘できる、しかし正確には語ることのできない私の条件がここに存在するのである。物語は、それが指示する身体を捉えることがない。この身体の歴史さえ、完全には語ることができない。身体であることは、ある意味で人生の完全な記憶を持つことができないということだ。私がどんな記憶も持つことができない、私の身体の歴史が存在するのである。

もしそのとき、語りえないが、自分自身についての物語的説明の身体的条件をなすような身体経験——「曝され」という言葉によって示されるもの——の一部がまた存在するとすれば、曝されは、自分自身について物語的説明をしようとする際に生まれる困惑の一つを構成することになる。つまり、(一) 私の特異性を確立する、語りえない曝されがあり、また、(二) 私の生の歴史に持続的で回帰的な刻印をもたらす回復不可能な原初的関係が存在し、従って、(三) 私自身に対する私の部分的不透明性をもたらす歴史が存在する。最後に、(四) 私が自分について語ることを手助けしてくれるが、私がその作者ではなく、私の特異性の歴史を確立しようとするまさにその瞬間に私を取り換え可能なものにしてしまうような、規範が存在する。最後に述べた、言語において「私が」収奪されるという状態は、私が誰かに対して自分を説明するという事実によって強化される。従って、私の説明の語りの構造は、(五)それが生起する場である呼びかけの構造に取って代わられるのである。

曝されれば、規範の作用と同じように、反省的存在――記憶を持つ存在、語るべき物語を持つとされる存在(ニーチェとフロイトに由来するこれらの仮定は、たとえ彼らの説明における処罰と道徳性の形成的役割が疑問視されるにせよ、妥当と見なされうる)――としての私自身が出現する条件を構成している。従って私は、私自身の自己省察の能力以前の時間性に居あわせることはできないのであり、また、私が提示する私自身のどんな物語も、この構成的な通約不可能性を考慮しなければならない。この通約不可能性は、構成的な始まりと、私の物語が語ろうとする生の前提条件を幾分か取り逃しつつも、私の物語を遅れて到来させる。これは、私と私の物語を言語で語ることを可能にすべく、既に多くのことが起きているにもかかわらず、私の語りは物事の途中から始まる、ということだ。私は、常に何かを回復し、再構築しつつあり、自分が知ることのできない起源を虚構、寓話として作り出すことに打ち込んでいる。私は物語を作り出しつつ、自分自身を新たな形で作り出し、過去の生を語ろうとする「私」に付加される語りの「私」を設定しているのである。語りの「私」は、事実上、それが語ろうとするあらゆる時間を物語に付加している。というのも、「私」が語りの視点としてふたたび登場するからであり、語りの「私」のこのような付加は、それが件の叙述に遠近法の固定点を与えるときには、完全には語られないからだ。

私による自分自身の説明は部分的なものであり、私がいかなる決定的な物語ももたらすことができないものに取り憑かれている。私は、なぜ自分がこのような仕方で出現したのかを正確に説明することができないし、物語的再構築における私の努力は、常に修正を受け続けている。私がいかなる説明も行うことができない、私の中の、私にとっての対象が存在するのである。しかしそれは、私が、自分が誰であり何をしているかを道徳的な意味で説明できない、ということを意味するのだろうか。もし、あらゆる努力にもかかわらず私の不透明性が存続しており、自分自身をあなたに完全には説明できないことに私が気づくとすれば、これは倫理的失敗なのだろうか。あるいはそれは、物語的説明の可能性の完全で満足のいく概念の代わりに、別の倫理的配置をもたらすような失敗なのだろうか。こうした部分的透明性の肯定の中には、私が予め知っていたよりも深く私を言語とあなたに結びつける関係性を認める可能性が存在するのだろうか。そして、この「自己」を条件づけ、盲目にする関係性は、まさしく倫理に不可欠な資源ではないのだろうか。

第二章　倫理的暴力に抗して

言語によってどんなものよりも時間をかけて作られてきた個性を信じられない限り、私は、社会学化された主体の必然的に決定された言語で、私自身のことを話しているのかどうかいまだ確信が持てない。自己を記述するこの「私」は、その構築された性格についてのいかなる理論によっても和らげられない不安を作り出す〔……〕。「私」であると称するものが私に話しかけ、私は自分がそれを聞いているのを完全には信じることができない。

——デニス・ライリー『自己の言葉』

自分自身の中の偶発的で一貫性を欠いたものを肯定する力によって、人は自分自身の成り立ちを「映し出して」いたり、いなかったりする他者を肯定することができるかもしれない。結局のところ、ヘーゲルの相互承認という概念には常に鏡の作用が暗黙に存在している。というのも、他者は私に似ており、また他者は私たちが似ていることについて同じ認識を行わねばならない、ということを私はともかくも理解しなければならないからだ。ヘーゲル的空間には多くの光が差しており、鏡はたいてい窓でもあるという幸福な一致が存在している。[1] 承認についてのこうした見解は、回帰的ミメーシスの悪無限に抵抗するような外部性に出会うことがない。これらの窓を覆うか、減光するような不透明性は存在しない。そこから私たちは、承認の光景についてのある種のポスト・ヘーゲル的読解を検討することもできるだろう。そうした読解においては、まさしく私自身に対する私の不透明性が、他者にある種の承認を与える私の能力をもたらすのである。それは恐らく、私たち自身についての共有された、不変の、部分的な盲目に基づいた倫理なのだろう。人は利用可能な言説内で示す自分と常に同じとは限らない、という認識は結果として、他者たちへのある種の忍耐——それは、あらゆる瞬間に自己同一でありたい、という彼らの要求を宙吊りにする——を意味してもいるだろう。自己同一性への、あるいはより正確には、完全な一貫性への要求を宙吊りにすることは、ある種の倫理的暴力を阻止することだと思われる。その倫理的暴力は、私たちが自己同一性を絶えず明示し、維持するよう要求するのであり、また他者にも同じことを要求する。これは、避けがたく時間の地平内で生きる主体にとって満たすことが困難な——不可能ではないにせよ——規範である。承認し、承認されるという主体の能力は、一人称の視点とは同一でない時間性を持った、規範的言説によって生み出される。この言説の時間性は自分自身の時間性を混乱させる。こうして、人が承認を与え、受け取るのは、その人が自分自身ではない何かによって自分から方向を逸らされ、脱中心化を経験し、自己同一性の達成に「失敗する」ときだけなのである。

こうした避けがたい倫理的失敗から新たな倫理の意味が現れることは可能だろうか。私は、新たな倫理は可能であり、それは認識そのものの限界を認めようとするある種の意志によって生み出されるだろう、と示唆しておきたい。自分自身を知り、提示すると主張して、私たちはある意味でそれに失敗してしまうのだが、にもかかわらず、この失敗は私たちのあり方に本質的につきまとうものである。私たちはむろん、他者から代わりに何か異なったものを期待できるわけではない。自分自身の、あるいは他者の不透明性を認識することは、不透明性を透明性へと変えることではない。認識の限界を知ることは、この事実を限定された仕方で知ることでさえあり、結果として知の限界そのものを経験することなのである。ところで、これによって謙虚さと寛大さを等しく配置することができる。つまり私は、自分が完全な知を持ちえなかったことを赦される必要があるし、また他者に赦しを与える同じような義務を負っているだろう。他者もまた、自分自身への部分的な不透明性において構成されているのである。

もし私たちが自分そのものであると言うところの同一性が、私たちを把握できないかもしれず、同一性のカテゴリーの外部にこぼれ落ちてしまうような剰余と不透明性を直接的に徴しづけているとすれば、「自分自身を説明する」ためのいかなる努力も、真理に近づこうとして失敗してしまうはずである。私たちが他者を知ろうと努める際に、あるいは他者に自分が最終的、決定的には誰であるのかを述べるよう求める際に重要なのは、絶えず満足を与え続けるような答えを期待しないことだ。満足を追求せず、問いを開かれたままに、さらには持続したものにしておくことで、私たちは他者を自由に生きさせるのである。というのも、生とはまさしく、私たちがそれに与えようとするいかなる説明も超えたものと考えられるからだ。もし他者を自由に生きさせることが承認に関するあらゆる倫理的定義の一部をなすとすれば、そのときこうした承認の説明は、知に基づくというよりむしろ、認識論的諸限界の把握に基づくことになるだろう。

ある意味で倫理的姿勢とは、カヴァレロが示唆するように、「あなたは誰か」と問いかけ、いかなる完全で最終的な答えも期待することなくそう問いかけ続けることにある。私がこう問いかける他者は、その問いを満足させるような答えによっては把握できないだろう。従って、もし問いの中に承認への欲望が存在するなら、この欲望はそれ自体を欲望として生かし続け、決してそれ自体を解消しないという義務を負っているだろう。「ああ、ようやく私はあなたが誰だかわかった」と言った瞬間、私はあなたに呼びかけることをやめ、あるいはあなたに呼びかけられることをやめてしまう。ラカンの悪名高い警告に、「あなたの欲望に関して譲歩してはならない」というものがある。[2] これはあいまいな要求である。というのも彼は、あなたの欲望は満たされるべきだ、あるいは満たされねばならない、とは言っていないからだ。彼はただ、欲望は阻止されるべきではないと述べているだけである。事実、時に満足とは、まさしく欲望に関して譲歩する手段であり、欲望の速やかな死を準備し、欲望から顔を背ける手段なのである。

ヘーゲルは、イポリットが欲望への欲望と再定式化したものを提示し、欲望を承認に結びつけた。そして、ラカンがこの定式化に触れたのは、イポリットのセミナーにおいてである。ラカンは捉え損ないが欲望の必然的な副産物であると論じるのだが、承認の説明は、そのさまよいにおいて、なお欲望の問題との関係において機能しうるだろう。承認を倫理的プロジェクトとして練り直すために、私たちはそれを、原則として満足をもたらしえないものと捉える必要があろう。ヘーゲルにとって、存在のための欲望、自分自身の存在に固執する欲望――これはスピノザが『エチカ』で最初に明確にした教えである――が、承認されることへの欲望を通じてのみ満たされる、という点を想起することが重要である。[3] しかし、もし承認が欲望を捕らえ、拘束するために働くなら、存在への欲望、自分自身の存在に固執する欲望はどうなってしまったのだろうか。スピノザは私たちに、生への欲望、「存在に」固執する欲望を示しており、すべての承認理論はそれに基づいて作られている。また、承認が機能するような関係は、私たちを固定し、捕らえようとするため、欲望を拘束し、生を終息させてしまう危険がある。ここから、倫理哲学が考察することが重要になるのは、すべての承認理論は、欲望が承認という機能そのものに限界と条件を設定することを記憶にとどめつつ、承認のための欲望を説明しなければならない、ということだ。実際、スピノザに従いつつ次のように述べることができるだろう。ある種の「存在に」固執する欲望は承認を引き受けるものであり、従って、「存在に」固執する欲望、生そのものへの欲望を断念もしくは破壊しようとする承認の形式、あるいはさらに判断の形式は、まさしく承認の前提条件を掘り崩してしまうのである。

判断の限界

私は、作品、書物、章句、考えを、裁こうとはせずに存在させようとする批評を思わずにはいられません［……］。それは判断をではなく、存在の徴しを多様化させるでしょう。

——ミシェル・フーコー「覆面の哲学者」

承認は、他者について判断を行い、それを宣告することには還元されない。疑いもなく、そうした判断がなされねばならない倫理的、法的状況というものは存在する。しかし、有罪、無罪という法的決定は社会的承認と同じであると結論すべきではない。実際、承認は、他者を把握するために、時として判断を留保するよう私たちに強いることがある。私たちは時に、倫理的姿勢と判断の姿勢を混同し、有罪あるいは無罪という判断に依拠して他者の生を要約してしまう。[4] 承認の光景は、どの程度、判断行為の前提となっているのだろうか。また承認は、道徳的判断そのものを評価する、より広い枠組みを与えるのだろうか。「道徳的判断の価値とは何か」と問うことはまだ可能なのだろうか。そして、私たちはこの問いを、「道徳性の価値とは何か」というニーチェの問いを想起させる仕方で問うことができるのだろうか。ニーチェがこの問いを提示したとき、彼は自らが提示した問題に暗黙に価値を与えてもいた。この問いは、もし道徳性に価値があるのなら、それは道徳性そのものの外側に、すなわち道徳性を測定する道徳外の価値にある、ということを前提としており、こうして、道徳性は価値の領域を完全に包含することはない、と断定する。

道徳的判断の光景は、それが人々の存在に対する判断であるときは、例外なく、判断する者と判断される者との間に明らかな道徳的距離を設ける。しかし、もし「私たちはサドを燃やすべきか」というシモーヌ・ド・ボーヴォワールの問いについて考えるなら、問題はより複雑になる。恐らく、判断が宙吊りにされた状況下での他者の経験を通じてのみ、私たちは最終的に、他者の人間性について倫理的な省察をなしうるようになるのだろう――たとえ、その他者が人間性を無化しようとしているときでさえ。[5] 私は、決して判断をすべきでないと言っているのではない――判断は、政治的生活にも法的生活にも私的生活にも等しく、切迫した形で必要だ。しかし私は、倫理の文化的局面を再考するに当たって、次のことを記憶にとどめておくことは重要だと考える。つまり、すべての倫理的関係が判断行為に還元されるわけではなく、まさに判断という能力は、判断する者と判断される者の間に予め存在する関係を前提としている、ということだ。道徳的判断を行い、正当化する能力は、倫理の領域を枯渇させるわけではなく、倫理的義務や倫理的関係と外延を等しくするわけではない。さらに判断は、いかに重要であれ、承認理論として適切ではありえない。実際、私たちは恐らく、他者をまったく承認しなくても判断を下すことができるだろう。

他者を判断する以前に、私たちはその他者と何らかの関係を持たなければならない。この関係は、私たちが最終的に行う倫理的判断を基礎づけ、特徴づけるだろう。私たちはある意味で、「あなたは誰か」と問わなければならないだろう。もし私たちが、自分の非難する者――さらには、非難すべき者――と関係を持っていることを忘れてしまうなら、次の考察によって倫理的に養われ、あるいは

「呼びかけられる」というチャンスを逃がしてしまう。つまり、彼らが誰であり、彼らの個性が、存在する人間的可能性の幅について――私たちをこうした可能性に賛成させる、もしくは反対させるために――何を述べているかを考察することによって。また私たちは、他者を判断することが呼びかけの一様態であることも忘れてしまう。刑罰でさえ他者の面前で宣告され、しばしば実行されるのであり、それはその他者の身体的現前を必要としている。従って、呼びかけの倫理が存在し、また法的判断を含む判断が呼びかけの一形式であるなら、判断の倫理的価値は、それが取る呼びかけの形式によって条件づけられるだろう。

私たちが責任を負うようになり、自己を知るようになるのは、判断を留保する際に生まれるある種の省察によってである、という点を考察してみよう。非難、弾劾、痛罵は、たとえ他者から自分を解き放つためであれ、判断する者と判断される者の間に存在論的差異を設定するための手早い方法として機能する。非難は、私たちが他者を認識不可能なものと規定する方法、あるいは、私たちが非難する他者へと委ねている、私たちのある側面を放棄する方法になるのである。この意味で非難は、判断される者との共同性を否認して自己を道徳的だとする限りにおいて、自己についての知に対立する形で働いている。自己についての知は確かに限定されているが、そのことが、計画的にその知に背を向ける理由ではない。非難がこのように働くのは、自分自身の不透明性を追放し、それを外化するためなのである。この意味で判断とは、自己が限定されていることを認めそこなう一つの仕方でありうるし、それゆえ、自分にとって不透明で、部分的に盲目で、構成的な仕方で限界づけられた人間存在同士の相互承認にとって、いかなる適切な基盤をもたらすこともない。自分自身が限界づけられていることを知ることは、やはり自分自身について何事かを知ることである。たとえ自分の認識が、自分の知っている限界によって悩まされるとしても。

同じように、非難は極めてしばしば、非難される者に「見切りをつける」行為であるだけでなく、「倫理」の名の下に、非難される者に暴力を加える行為でもある。カフカは、この種の倫理的暴力がいかなる形で機能するかについて、いくつかの例を挙げている。「判決」という短編におけるゲオルクの運命を例に取ってみよう。[6]ゲオルクの父は彼に、溺死による死という判決を下し、ゲオルクはあたかもその言葉の力によるかのように部屋を飛び出し、橋の欄干を飛び越える。むろんこの言葉は、息子の死を見たいという父の望みを満足させようとする心的なものに呼びかけているのであり、それはこの短編における動詞の時制によっても証明される。従って、非難=判決［condemnation］が一方的に働くことはありえない。ゲオルクはこの判決を彼自身の行為原理と見なさねばならず、彼を部屋から飛び出させるような意志に関与しなければならないのである。

カフカのこの短編ではっきりしないのは、登場人物たちがそれぞれ別個の実体であるのか、それとも彼らが、実体性がなく、核を持たず、断片化の場においてのみ構成された一つの自己の、相互浸透し合う分割された諸部分として機能しているのか、という点である。息子は友人を持っていると主張するが、その友人とは恐らく、想像による彼自身の鏡像的断片以外の何ものでもないことがわかる。父はこの友人に手紙を書いたと主張するが、最後には友人が存在するのかさえはっきりしなくなり、友人は父に属するのか、それとも息子に属するのかをめぐって争いが起きる。友人とは、決して完全には明確にならない境界の名なのである。父は、息子に判決を下すとき、あたかもその判決が自分自身をも打ちのめしたかのように、大きな音をたててベッドの上にくずおれる。父が「私は溺死による死刑の判決をおまえに下す［verurteile dich］！」と宣言すると、ゲオルクは「自分が部屋から追い出されるのを感じた［fühlte sich … gejagt］。背後で父がベッドの上にくずおれる音をまだ耳の中に聞きながら、彼は走った」、と書かれている。父は息子に判決を下しつつ、自分自身に判決を下しているかのようである。次の文では、彼は階段を「駆け下り［eilte］」、戸口を「飛び出し［sprang］」、「車道を越えて、河へと衝き動かされた［triebt es ihn］」。彼は駆けており、能動態の動詞の主語であるが、同時に「衝き動かされ」ており、どこからか急き立てられた行為の対格的対象である。彼を死に追いやる判決を描いた、この場面での彼の行為能力（エイジェンシー）を理解するためには、「衝き動かされた」と「駆けている」という二つの条件の同時性を受け容れなければならないだろう。「衝き動かされた［triebt es ihn］」は、「それ［es］」が彼を衝き動かしていることを示唆しているが、この非人称の「それ」——完全に父の意志であるわけでも、完全に彼の意志であるわけでもないように思われる、言わば物語全体を衝き動かす、二者の両義性を徴しづける言葉——とは何なのだろうか。物語の最後でゲオルクは父の要求を成就する。ゲオルクがそうするのは彼の父の愛情を救うためであると推測することもできるが、彼はむしろ、両親への自らの愛情の一方的性格を認めているように見える。

父の非難＝判決として始まったものが、いまや、息子のまさに充足されるべき切迫した要求の光景として形を取ることになる。「もはや彼は、飢えた人間が食べ物［die Nahrung］を摑むように、欄干をしっかりと握っていた」。ゲオルクが欄干を飛び越えるとき、彼は「子供のころ両親の誇りであった優秀な体操選手」になぞらえられている。父の判決の突風がゲオルクを部屋から追い出し、階段を駆け下りさせるにもかかわらず、彼が演じる自殺のアクロバットは彼自身の自発的行為、父に対して演じられた行為であって、それは想像上の承認の光景を再び作り出し、死の命令を満たすまさにその瞬間に、彼の父に対する愛を告白するものなのである。実際、彼の自己破壊は、最後の愛の贈与として与えられているように見える。ゲオルクは、「自分が墜落する音を容易にかき消してしまうであろうバスが近づいてくるのを見る」まで墜落を待つ。そして、「低い声で」――彼の死を確かに聞き取りがたいものにしておくために――述べられた彼の最後の言葉は、「なつかしいお父さん、お母さん、ぼくはそれでもあなたがたを愛していたのです［Liebe Eltern, ich habe euch doch immer geliebt］」というものだ。"doch"を「それでも」と訳すと、必要以上に強くなってしまうかもしれない。"doch"には、ある種の抗議や反駁、「たとえ……にせよ」、あるいはより正確には「やはりまだ」という意味が込められている。この一語によってある種の困難さが遠まわしに述べられているが、それは逆非難のレヴェルに達しているとは言いがたい。

両親に対するゲオルクの愛の告白は、赦しの行為ではなく、マゾヒズムの半至福状態であるように思われる。ゲオルクは両親の罪ゆえに死ぬのであり、階段で彼がすれ違う女中は「神様！」と叫んで、彼を見る自らの目を覆う。両親に対するゲオルクの愛の言葉は、死刑執行に欠くことができないように思われる。父の言葉は判決を確定し、執行させる。「自らを墜落させた［ließ sich hinabfallen］」という再帰的＝反省的［reflexive］行為は、両親への彼の愛情を死によって神聖化する方法以外の何ものでもない。彼の死は愛の贈与となるのである。父の発言が行為を開始させるように見えるが、アクロバットは確かにゲオルク自身のものであり、従って父の行為はまったくスムーズにゲオルクの行為へと姿を変えるのである。ゲオルクが死ぬのは、死を求める残酷な父の要求によるだけではなく、父の要求がゲオルクの生を倒錯的な形で豊かにしたからでもある。

しかしながら、ゲオルクの自殺的な忠誠は、もし非難＝判決が限界において他者を殲滅しようとするものであるなら処罰的判決の極限的ヴァージョンは死刑判決である、という事実をまったく減じるものではない。非難＝判決は、より洗練された形で、非難＝判決された者の生に狙いを定め続け、彼の倫理的能力を破壊するのである。もし要求され、破壊されねばならないのが生であり、言わば一連の行為ではないとすれば、処罰は自律の条件をさらに破壊するために働き、自己反省と社会的承認——これら二つの実践は、倫理的な生についてのあらゆる実質的説明にとって欠くことができない、と主張しておきたい——へと宛てられた主体の能力を、骨抜きにはしないまでも、侵食する。むろん、それによってまた、モラリストは殺人者になるのである。

弾劾が主体に与えられた批判能力を麻痺させ、否認するとき、それは倫理的な省察、行為に必要な能力そのものを侵食し、破壊しさえして、時には自殺的結果へと導く。これが示唆するのは、倫理的判断が生産的に働くためには承認が維持されなければならない、ということだ。言い換えるなら、判断＝判決は、主体——未来に別の形で行為する機会を持つような——の自己反省的熟慮に力を与えるためには、生を維持し促進すべく働かねばならない、ということだ。処罰に関するこうした考えは、私たちが先に考察したニーチェの説明とはまったく異なるものである。

現実的な意味で、私たちは呼びかけられることなしに生き続けることはない。それが意味するのは、呼びかけの光景は倫理的な熟慮、判断、行為を維持する条件を与えることができるし、また与えるべきである、ということだ。同じように私が主張したいのは、処罰と収監の制度は、それらが「倫理」の名の下に、罪に問われないで生に損傷を与え破壊する力を持っているがゆえに、それらに服するまさにその生を持続させる責任がある、ということである。もしスピノザが言うように、人は既にあるいは同時に生への欲望を持つときにのみ正しく生きる欲望を持つのだとすれば、生への欲望を死への欲望に変えようとする処罰のシナリオは倫理の条件そのものを侵食する、ということもまた正しいように思われる。

精神分析

クレシーダ——私の口よ止まれ［……］
私は自分の話していることがわからない。

——シェイクスピア『トロイラスとクレシーダ』

以上のことは、自分自身を説明することができるか、という問いとどのように結びついているのだろうか。人は他者に対して自分自身を説明するのであり、またあらゆる説明は呼びかけの光景の中で生まれる、ということを想起しておこう。私はあなたに対して私自身を説明するのである。さらには、呼びかけの光景——私たちが責任＝応答可能性［responsibility］のための言語的条件と呼ぶもの——が意味するのは、私が反省的働きに携わり、私自身について考え、私自身を再構築する一方で、あなたに語りかけてもいるのであり、それゆえ、このようにして言語における他者への関係を練り上げている、ということである。こうして、状況の倫理的誘因は、私自身についての私の説明が適切かそうでないか、という問いに限られるものではなく、むしろ、説明することで、私は自分の説明が宛てられている人と関係を築いているか、また会話の当事者双方が呼びかけの光景によって支えられ、変化を受けているか、という点に関わっている。

精神分析的な転移において、「あなた」とはしばしば呼びかけの初期構造である。それは、想像的領域の中に「あなた」を形成することであり、また過去の、よりアルカイックな呼びかけの形が伝達されるような呼びかけを形成することである。[7] 転移において、発話は情報（私の生についての情報を含む）を伝達するために働くこともあるが、それはまた、欲望の伝達経路としても、また対話場面そのものを変容し、あるいはそれに働きかける言語的道具としても機能する。[8] 精神分析は常に、自己を顕わにする発話行為のこの二側面を理解してきた。一方でそれは、自分自身についての情報を伝達しようと努める。しかし、他方でそれは、呼びかけの様態に構造を与えるコミュニケーションと関係性についての暗黙の仮定を作り直し、構築し直す。こうして転移とは、分析空間の中で原初的関係性を作り直すことであり、それは潜在的に、分析作業という土台の上に新たなあるいは変容された関係性（また関係性のための能力）を生み出すのである。

　転移において、語りは単に情報を伝達する手段の役割を果たすだけではなく、他者に働きかけようとする言語のレトリック的展開——それは、分析的対話の場におけるアレゴリー的形式を引き受ける欲望、あるいは願望によって動機づけられている——として機能する。「私」は語られるだけでなく、呼びかけの光景の中に置かれ、その中で分節されるのである。言説の中で生み出されるものは、しばしば話の意図的な目標を混乱させる。「あなた」は変化しやすく想像的であり、また同時に、拘束され、扱いにくく、頑固にそこにいる。「あなた」は、それとの関係において欲望の目的が分節可能になるような対象を構成するが、他者に対するこの関係、欲望の分節のためのこの光景に再び現れるのは、発話によっては完全に「明らかにされ」ないようなある不透明性である。だから、「私」は「あなた」に対して物語を語るのだし、私が語る物語の細部を私たちは一緒に考えることができるかもしれない。しかし、もし私がそれら細部を転移状態においてあなたに語るとすれば（また、転移なしに語りというものはありうるだろうか）、私はこの語りによって何かを行っており、何らかの仕方であなたに働きかけているのである。そして、この語りはまた、私が行っているときには理解できないような仕方で、私に対して何かを行い、私に働きかけているのである。

ある種の精神分析団体、教義、実践では、精神分析が言明する目的の一つは、患者が自分自身についての物語を組み立て、過去を想起し、諸々の出来事を編み合わせ、あるいはむしろ後の諸々の出来事によって子供時代の願望を編み合わせ、また語りの手段を通じて、この生がどんなものだったか、それがしばしば行き当たる袋小路は何か、またそれは今後どのようなものになりうるかを理解する、という機会を与えることだ。実際、精神分析の規範的目標は、患者が自分自身について唯一の一貫した物語を語ることができるようにすることである、と主張する者もいる。そうした物語は、自分自身を知りたいという願望を満たすものであり、さらに、それはある程度、物語的再構築――その際、分析家やセラピストによる介入が、多くの仕方で物語を作り直し、編み直す――を通じてなされるのである。ロイ・シェーファーはこの立場を主張しており、臨床家が専門家や大衆向けの立場から記した精神分析実践の説明の中にこうした主張を見ることができる[9]。

しかし、生の物語的再構築が精神分析の目的ではありえないとすればどうだろうか。また、その理由が主体形成そのものに関わっているとすればどうだろうか。もし他者が最初から、自我が生まれる場所に常に存在し続けているとすれば、生はその基本をなす中断によって構成されていることになり、さらにはいかなる可能な連続性にも先立って中断されていることになる。従って、もし物語的再構築が、それの伝えようとする生に似ていなければならないとすれば、それはまた中断を受けなければならないのである。むろん、語りの構築を学ぶことは重要な実践であり、とりわけ経験の非連続的な断片が外傷的条件によって互いに分離されたままになっている際にはそうである。また私は、生を——語りの実践を学ばなければ断片化と非連続性に苦しむことになるような生を——再構築する語りの作業の重要性を過小評価するつもりはない。分裂の状態に属しているような苦しみは過小評価されるべきではない。しかし、過度の支配の状態は、極端な断片化の状態と同じように健康的ではない。互いに同化しえない心的なものと経験の諸部分を接合するために、私たちはまさしく語りを必要としているように思われる。しかし、過剰な接合は、極端な形のパラノイア的分離を導くことがある。いずれにせよ、もし生が何らかの語りの構造を必要としているとして、すべての生が語りの形式に翻訳されねばならない、ということにはならない。こうした結論によるなら、心的安定のための最小限の要件が分析作業の主要な目的になってしまう。

　もしある人々が仮定するように、語りが、私たちのものである生を私たちに与えるのだとすれば、あるいは、その生が語りの形で生起するとすれば、そこには何が残るのだろうか。生が「私のものであること」は、必ずしもその物語形式のことではない。物語を語り始める「私」は、生の語りの認識可能な規範に従ってのみ、それを語ることができる。そのとき、私たちは次のように言うかもしれない——これらの規範を通じて「私」自身を語ることに「私」が最初から同意する限り、「私」は外部性を通じて自分の語りを流通させることに同意するのであり、非人称的性格の発話様態を通じて語ることで自分自身を混乱させることに同意するのである、と。[10]もちろん、ラカンが明らかにしたように、主体が創始される原初の瞬間についていかなる説明がなされようと、それは遅延した《幻想》的なもの［phantasmatic］であり、事後性［Nachträglichkeit］によって不可逆的に影響を受けている。発達論的な語りは、こうした語りの語り手が物語の起源に存在しうると仮定するため、間違いを犯す傾向にある。起源とは遡及的にのみ、また幻想［fantasy］のスクリーンを通じてのみ存在するのである。自分自身を一貫した形で説明することが精神分析の倫理的任務の一部をなす、と主張する精神的健康についての規範は、精神分析のなしうること、またなさねばならないことを誤解している。そうした規範は事実上、主体形成の倫理的意義そのものの一部を偽るような主体の説明に、同意を示しているのである。

もし私が説明し、それをあなたに示すのだとすれば、そのとき、私の語りは呼びかけの構造に依拠している。しかし、もし私があなたに呼びかけているのだとすれば、私はまず最初に呼びかけられていなければならず、私自身が呼びかけをどのように使うかを理解する前に、言語の可能性としての呼びかけの構造に参与していなければならない。これは、言語がまず他者に属しており、私はそれを複雑な形のミメーシスを通じて獲得するから、というだけでなく、言語的な行為能力（エイジェンシー）の可能性そのものが、人は決して自分で選ぶことのない言語によって呼びかけられる、という状況に由来するからでもある。もし私が最初に他者によって呼びかけられており、もしこの呼びかけが私の個体形成に先立って私に到来するなら、そのとき、呼びかけはどのような形で私に到来するのだろうか。たとえ打ち棄てられ、あるいは虐待されていようと、人は常に様々な仕方で呼びかけられるように思われる。というのも、喪失や傷は独特の仕方で人に呼びかけているからだ。

この見方には、まったく別の哲学的、精神分析的定式化が存在する。レヴィナスは、他者の呼びかけが私を構成し、他者によるこの捕らわれが自己（自我［le Moi］）のいかなる定式化にも先立つ、と述べている。ジャン・ラプランシュは、要求という他者の呼びかけが、後に「私の無意識」と理論的な形で呼ばれるものの中に埋め込まれ、注入される、と述べるとき、精神分析的手法で同じようなことを論じている。[11] ある意味で、この［「私の無意識」という］語法は常に自らを欺くものだろう。「私の無意識」について誤りなしに語ることは不可能だろうし、それは、「私の無意識」が所有物ではなく、むしろ私が所有できないものだからだ。しかし、私たちがこの心的領域――私が所有することはないし、また所有することができないような――を説明しようとする文法は、奇妙にもこの無意識を、主語の賓辞として私に属するものとして――他の幾多の特徴が文法的、存在論的主体である私に属するとされるように――私に帰するのである。しかし、無意識を理解することは、厳密に言うなら、私に属することがありえないものを理解することである。なぜなら無意識は、帰属のレトリックを拒むのであり、最初から他者の呼びかけを通じて収奪された状態のことだからだ。ラプランシュにとって、私はこの呼び声あるいは要求によって動かされており、最初からそれによって制圧されている。他者は最初から、私にとって過剰なもの、謎めいたもの、不可解なものである。この「過剰」は、「私」と呼ばれる何者かが分離した状態で現れるためには、統御され、抑制されねばならない。無意識とは、この「過剰」が堆積する場所のことではない。それはむしろ、生存と個体形成の心的要件として、その過剰を管理するための――そして管理しそこなう――一つの方法として、それゆえ、その過剰そのものの持続的で不透明な生として形成されているのである。

転移は、まさしく情動を背負った呼びかけの光景であって、他者とその制圧的な力を想起させ、無意識が何らかの形でそこから回帰してくる外部を通じて無意識の方向を変更する。従って、転移と逆転移において問題なのは、ある人の生の物語を構築ないし再構築することだけでなく、語りえないものを再演し、呼びかけの光景そのものにおいて生き直されるものとして、無意識を再演することでもある。もし転移が無意識を反復するなら、そのとき私は、呼びかけの光景における私自身の収奪を経験する。これは、私が他者によって所有されている、という意味ではない。というのも、他者もまた収奪されており、呼びかけられており、それゆえ非相互的な関係の中で呼びかけているからだ。しかしながら、分析家はこの収奪を私よりもうまく操る（ことが望まれる）がゆえに、無意識への接近を可能にするためには、対話者双方が転位を経験しなければならない。分析家がその必要上私を制圧しないという責務を負うにもかかわらず、私はこの呼びかけに捕らわれている。やはり私は何かに制圧されており、私は分析家に制圧されているのだと考えてしまう。そして、分析家とは、私がこの「過剰」に与えた名前である。だが、それは何を名指しているのだろうか。

この文脈において、再び「誰」という問いが現れてくる。「私は誰によって制圧されているのか」、「分析家とは誰か」、「あなたは誰か」といった問いはすべて、ある意味で、子供が大人に「あなたは誰なの、私に何を求めているの」と尋ねるときの問いと同じである。この点で、ラプランシュの視点は、倫理を創始する問いとは「あなたは誰か」という問いであるというカヴァレロの主張を修正する手段を与えてくれる。分析家が他者であるとき、私は他者が誰であるかを知ることができないが、この満たされない問いを追求することは、謎めいた他者――それは、大人の世界の多様な要求として理解される――が私を創始し、構造化する方法をなしている。それが意味するのは、分析家が私にとって実際より過大、あるいは過小な立場を占めるということでもあり、言わば人間としての分析家と、言わば私の心的素材の原因としての分析家との間のこの通約不可能性は、被分析者が転移の光景に寄与するための土台をなしている。分析家は、私にとっての転移の場として振舞うその瞬間に、私の知りえない理由によって、彼なりの仕方で収奪されている。私は彼に誰であることを求めているのだろうか。また、分析家はこの呼び声をどのように受け止めるのだろうか。私の呼び声が分析家に呼び起こすものは、逆転移の場となるだろう。しかし、これについて私は最も屈折した知識しか持つことができない。私は無益に「あなたは誰か」と尋ね、またさらに冷静に、「ここで私はどうなってしまったのか」と尋ねる。また分析家は私に対して、分析家自身の距離から、私が正確には知りえない、あるいは聞きえない仕方で、同じように問いかける。この非知は、それに先立つ非知、それによって主体が創始されるような非知に依拠している。にもかかわらずこの「非知」は、文字通り私が立ち戻ることのできる場所には決してならないまま、転移において反復され、作り上げられているのである。

しかしながら精神分析は、転移を通じて原初的関係の配置とその光景の見取り図を作り、自己が様々な形で立ち現れる呼びかけの光景を明確にする。ラプランシュの視点はクリストファー・ボラスのような対象関係の理論家と完全には両立できないが、私たちは両者のアプローチに、ボラスが「未思考の知」[12]と呼んだものへの注意深さを見て取ることができる。ボラスは、「変容惹起的対象」としての分析家の概念を導入するのに貢献した。彼の示唆によれば、臨床家はフロイトの自己分析に立ち返って、精神分析作業における逆転移の使用をより注意深く考慮すべきである。ボラスは『他者の影

――未思考の知の精神分析』の中で自ら［分析家］を、被分析者の環境へと「召喚され」、被分析者によって初期の光景に属する「対象」として暗黙に位置づけられ、「使われる」存在として描いている。そこで逆転移は、被分析者が完全には知らないものに応答する。

分析家は、環境の中で変動し変化する対象表象を満たすよう誘われるが、分析家の側のそうした観察は、逆転移の中で明瞭となる稀な機会である。非常に長い期間、そして恐らくは決して終わらない期間にわたって、私たちは患者の環境のイディオムへと連れて行かれるのであり、そして、かなりの長い間、私たちは自分が誰なのか、どんな機能を果たすよう求められているのか、あるいは患者の対象としての自分の運命について知らないままである。[13]

ボラスはウィニコットに従いつつ、分析家は使われることを自分に許すだけではなく、また「状況反応的に病気になる準備ができて」[14]さえいなければならない、と主張している。分析家は、被分析者の環境のイディオムの中で使われることを許し、同時に、そうした困難な状況の中で分析のための反省、熟慮能力を発達させるのである。ボラスはいくつかの臨床例を論じているが、そこで彼は、分析作業における逆転移の「表現的使用」を提示している。ある女性患者が話のあと沈黙に陥り、ボラスを孤立感と混乱の中に置き去りにする。最終的に彼が分析セッションの中でこの感覚に声を与えるとき、それが示唆しているのは、この患者が幼い子供のとき突然孤立を感じ、途方に暮れたその環境を、彼に対して、彼と共に効果的に再創出しているのだということだった。彼は、その患者がその長い中断を通じて、この経験を彼が味わい、そのとき彼女が何を感じたのか彼に知ってほしいと考えたのだろうか、と問うている。彼女がそこで提示しているのは語りではなく、突然放棄されたコミュニケーションや、混乱を招くような接触の喪失の光景を再創出することだったのである。この経験は彼女の過去に属しているのだろうか、と問う以上、それに続く彼の介入には語りの次元が存在する。しかし重要なのは、物語の正確な細部を再構築することではなく、転移の中でコミュニケーションの別の可能性を確立することである。この患者が自分自身の喪失と不在の経験を追体験する可能性を彼に与えた、と彼が示唆するとき、彼は、いままでになかったような仕方で彼女とコミュニケートしており、それに続く会話——それは明らかにこのコミュニケーションの断絶の形式を主題とする——は、呼びかけの初期の光景を変容するよう働きかけることで、より結合的なコミュニケーションの様態を形成するのである。

ボラスが主張する精神分析的介入のモデルは、あらゆる逆転移の問題を自分の胸のうちに秘めておく、冷淡でよそよそしい分析家という古典的概念からの重要な変更を形作っている。ボラスにとって、「分析家は患者の世界で道に迷い、いかなるときも自分の感情と心の状態がわからないという感覚に迷い込む必要がある」[15]。続いて彼は、分析家が患者に使われるべく自らを提示するときにのみ、逆転移が一連の新たな対象関係を促進しうる望みがある、と述べている。「良い対象（分析家）をいくらか狂わせることによってのみ、そうした患者は自分の分析を信じることができるのであり、自分がいたところに分析家がいて、それを生き延び、無傷のまま抜け出してきたと知ることができるのである」[16]。

ボラスがはっきりと提起するところでは、分析家は被分析者によって影響されることを自らに許さねばならず、反省的な精神分析的距離や態度を維持すると同時に、ある種の自己の収奪さえ経験しなければならない。自分自身の思考を分析セッションに導入するというウィニコットの方法を説明しつつ、ボラスは次のように述べている。

彼にとっての思考とは主観的対象だったのであり、彼は、人の無意識的生についての公式の精神分析的解釈としてではなく、患者と分析家との間にある対象として、その思考を患者に提示した。彼のこの態度による影響は、非常に重要である。というのも彼の解釈は、公的な真実を示すものと見なされていたのではなく、むしろゲームの対象——あれこれ小突き回され、混ぜ合わされ、細かくちぎられる——とされたのだから。[17]

ここでの目的は、ボラスが「それまで分節されていない心的な生の要素——あるいは私が未思考の知と呼ぶもの——の分節」[18]と表現するものを促すことだと思われる。「分節」とは、様々な様式の表現、コミュニケーション——それらのあるものは語りであり、別のものはそうではない——を記述するための広いカテゴリーである。ここでボラスは、分節可能性の限界——つまり、決して十全には「知られ」えない未思考——を考察していないが、こうした考察は、彼の探究の不可欠な対応物をなすと思われる。実際、影響の原初的形式は、分析過程で完全には、あるいは明白には分節されないが、呼びかけの光景において疑いなく機能している。完全な分節可能性は、決して精神分析の作業の最終目標と見なされるべきではない。というのも、そうした目標は、無意識的素材の言語的、自我的支配を含意しており、つまり無意識そのものを反省的、意識的分節へと変化させようとするからだ。これは不可能な理想であって、精神分析の最も重要な見解の一つを掘り崩すものである。「私」は「私」を駆り立てるものを、すべてを知っているかのように完全に回復することはできない。というのも、「私」の形成は、反省的な自己の知としての「私」の練り上げに先立っているからだ。これが想起させるのは、意識的経験は心的な生の一局面でしかなく、持続的かつ不明瞭な形で私たちを形成し、構成しているこの原初的な依存関係と影響されやすさを、私たちは意識あるいは言語によって完全に支配することはできない、ということである。

幼児が扱われ、あるいは呼びかけられた仕方は、被分析者が後に編成(オーケストレート)する社会的環境から間接的にしか拾い集められない。その環境には常に特殊性があるとはいえ、一般的に、原初的印象はただ自我によって*受け取られる*だけではなく、自我を形成する、と言うことができる。自我はそれに先立つ出会い、原初的関係、どこか他から自我を創始するような一連の印象なしには存在することができない。ウィニコットが自我を関係的過程と記述するとき、彼は、自我が生の初めから構成され、そこにあるという考えに反駁している。彼はまた、自己のあらゆる閉じられた感覚に対する、関係性の優位を主張している。ボラスとラカンは同意するだろうが、もし自我が「主体の到来にはるかに先立つ」[19]とすれば、それはまさに、無意識と他者から差異化を図ろうとする関係的過程がまだ発話において分節されておらず、自己の反省的熟慮がまだ可能でない、ということなのである。いずれにせよ、自我は統一体、あるいは実体ではなく、諸々の関係と過程の配列であり、まさに自我を規定するような仕方で原初の保護者の世界に巻き込まれているのである。

さらに、もし「私」の創設の瞬間に私が他者の呼びかけと要求に巻き込まれるとすれば、そのとき、私の生が最初から他者と堅く結ばれているような倫理的光景と、私自身の出現、個体形成、生存可能性の間主体的条件を確立する精神分析的光景との間に収束点が存在している。それが原初の呼びかけの光景を屈折した形で要約し、再演する限りで、転移は生を語り、自伝の構築を助けるために機能している。転移は、逆転移とともに働きながら、語りの形式が時に作り出す疑わしい首尾一貫性を中断する。つまりそれは、呼びかけの光景のレトリック的特徴――それは、私が知らない光景、「私が他者に」制圧されている光景、また現在では私を支えてもいる光景へと私を引き戻すものである――を考慮しそこなわせるような首尾一貫性を、中断するのである。

最良の場合、転移はウィニコットの言う支持的環境［＝抱える環境（holding environment）］を与え、持続的な呼びかけの条件を与える時間的現在の中に、身体的現前をもたらす。[20] これは、転移が生の語りに貢献しないという意味ではない。人は、ウィニコット的意味で「支持された」ときには、自分の物語をよりうまく語ることができるだろう。しかし、「支持すること」には、語りという手段によっては記述されない表現的側面がある。偏った、暫定的なものとしての、生を語ることの重要性に疑問を差しはさむ理由はない。確かに、転移は語りを容易にすることができるし、また生を語ることは、とりわけ非連続的な無意識的経験によって深く苦しんでいる人々にとって、極めて重要な機能を持っている。誰も、根源的に語ることの不可能な世界の中で生きることはできないし、あるいは根源的に語ることの不可能な生を生き延びることはできない。しかし、やはり想起する必要があるのは、心的素材の「分節」や「表現」とされるものは語りを超えたものであり、あくまで分節不可能なままに留まるものの構造化効果を考えるなら、あらゆる種類の分節は必然的に限界を持つ、ということだ。

例えば、語りの声は時に、その語りの力を奪われたままであることがありうる。カフカの短編では、ゲオルクが橋から身を投げ、生命を絶つように見えた後にも、奇妙に残存し、事件の後に残った雑音について伝える語りの声がまだ存在している。テクストの最後の行である、「この瞬間、橋の上をほとんど限りない交通が過ぎて行った」は、描写された瞬間にそこにいたと主張する何らかの声によって語られており、三人称の視点は、既に身を投げてしまったゲオルクという人物からは切り離されている。これはあたかも、人物が打ち負かされ、声だけが残っているかのようだ。ゲオルクは死んでしまったが、何らかの語りの声が生き残り、その情景に言及している。それは、ゲオルクと彼の父が手紙を書いたという、想像上の友人の声なのかもしれない。また、この友人は結果として彼ら二人にずっと手紙を書き続けていた、ということなのかもしれない。最後の行の「交通」が橋の上を過ぎていくという部分には "Verkehr" というドイツ語が用いられているが、この言葉は性的関係を表すためにも用いられる。その二義性が示唆するのは、この死がまた快でもあり、恐らくは、はっきりした身体の境界を脱自的に放棄するものだ、ということである。[21] この事実を報告する声――その声は誰にも属しておらず、出来事へのその近さは論理的には不可能である――は純粋に虚構(フィクション)的なものであり、恐らく虚構(フィクション)そのものの崇高さである。物語は死を語るのだが、語りの最後の行に一つの声を保持してもいる。それは、人間的な何かが生き残っており、語りがその生存と何らかの好都合な関係を持っていることを示唆している。しかし奇妙なことに、これは身体も名前もない書かれた声であり、呼びかけの光景そのものから抜き取られた声であって、その抜き取りは逆説的にも、その声の生き残りの基礎をなしている。声は亡霊的なもの、不可能なものであり、身体を持たず、しかし残存し、生き延びている。

アドルノは、よく知られた一九三四年一二月一七日付けのベンヤミン宛書簡で、ベンヤミンのカフカ論を論評し、カフカのテクストが与えてくれる、生存の条件について考察している。彼は、自分が「〔ベンヤミンの〕試論について「判断」を下すような立場にはまったくない」と注記することから始めて、この種の判断と結びついた潜在的に致命的な問題に、意識的な仕方で触れている。アドルノのベンヤミンに対する見解はお決まりのものだ。ベンヤミンは取り戻すことのできない「アルカイックな」根源史を説明しているのだが、アドルノは反対に、私たちの「歴史的時代」という概念の欠如は弁証法的欠如であって、この欠如は、こうした特殊な歴史的条件下での私たちにとっての欠如として理解されるべきだ、と主張するのである。

アドルノは、オドラデクという形象を経て、罪と運命の考察へと移ってゆく。オドラデクとは、カフカの寓話「父の気がかり」[22]に描かれている物のような生き物で、まったく概念化不可能なものだ。オドラデクという名前には、どんな明確な語源的意味も認められない。それは、親による判断を前にしてその人間の形姿を失ってしまう、息子のもう一つの姿なのだ。オドラデクは糸巻きのように見えると同時に奇妙な星型をしており、とがった部分でバランスを取ることができる。彼の笑いは「肺がなくても洩らすことのできるような笑いでしかない。それは落ち葉がかさこそと鳴るように響く」。彼の生存には人間の形姿はほとんど残っておらず、物語の語り手——親の声——は、オドラデクが「何かの道具の体」をした生き物の名残なのかどうかをひどく疑っている。アドルノもベンヤミンも、この脱人間化された形姿を説明するために精神分析的手法を用いてはいない。しかしアドルノは、人間の形姿を取り除くことは、何らかの形で、宿命的な罪の揚棄を約束する、と考えている。彼は述べている。

> オドラデクの居場所が家の父の許ならば、オドラデクはまさしくその父の心配の種であり、危険であるのではないでしょうか。オドラデクによって、他ならぬ被造物の罪連関の揚棄が予示されているのではないでしょうか。あの心配、あの不安は――ハイデガーをまさに足で立たせたようなものですが――希望の暗号、さらには、まさしく家の揚棄を通じたその確実極まる約束ではないでしょうか。たしかにオドラデクは、物の世界の裏面として、歪められたものの記号ではあります――けれどもそういうものとして、まさに超越の、つまり有機物と無機物との境界を取り払って両者を融和させる、あるいは死を揚棄する一つのモティーフなのです。オドラデクは「生き延びる[überleben]」のですから。[23]

オドラデクは、「判決」の終わりに形のない最後の声が「生き延びる」のとほぼ同じような仕方で「生き延びる」[24]。この意味でアドルノにとって、人間の形姿が取り除かれる運動は、希望のごとき何かが到来する手段なのである。あたかも、主体の社会的特性を宙吊りにすること――「家の揚棄」――が、生存に必要であるかのように。アドルノは、このような生存を永遠の、あるいはアルカイックな超越と考えることを拒否するため、ある種の条件が希望もしくは生存の暗号として歪曲、形象破壊をなしとげると論じなければならない。「カフカ覚え書き」においてアドルノは述べている。「個人を生み出した社会的起源は、結局、個人を絶滅させる権力として明らかにされる。カフカの作品はこの権力を吸収しようとする試みなのだ」[25]。これは、近代性についての真理、あるいはさらに、近代性をこのように徴しづける真理であるように思われる。この主張の結果として、（こうした現在の形の）社会的なものを取り除く試みは、生存への希望を約束しているように思われる。

　語りの声は、オドラデクへの彼の直接の呼びかけをこう報告している。「お前の名前はなに」「オドラデク」「どこに住んでるの」「どこにも」。「あなたは誰か」という問いがあり、そして答えとして再びある声が存在するが、それは人間の形をしていない。語り手は三人称代名詞によって、また直接呼びかけることによって、オドラデクを間接的に人間化している。父の声は必ずしも彼を見下しているわけではない。というのも、寓話は次のように終わるからだ。「明らかに誰の害になるわけでもないのだが、しかし自分が死んだ後も彼が生き延びる［überleben］かと思うと、ほとんど胸を締めつけられる思いがする」。つまり、ほとんど胸を締めつけられる気持ちがするのであって、完全にそうだというわけではないのである。そして、この「完全にそうだというわけではない」に、ほぼ完全な脱人間化を生き残るオドラデクの生存への希望を見出すことができる。

　個人の社会的起源は、近代性においてさえ、生存を脅かす一つの道をなしている。他ならぬ社会的なものの超越が生そのものの社会的条件を掘り崩そうと脅かすとき、絶滅は別の側からも人を脅かしにくる。結局のところ、呼びかけられることなしには誰も生き延びることはできないのであり、呼びかけられ、何らかの物語を与えられ、物語の言説的世界に参入させられることで言語の中に創始されることなしには、誰も生き延びて自分の物語を語ることはないのである。言語が課され、何らかの形で情動を分節するような関係の網目を言語が生み出した後にのみ、ただ事後的にのみ、人は言語の中に自分の道を見出すことができる。人は、呼びかけられ、その結果として呼びかける何らかの方法を学ぶような幼児、子供として、コミュニケーション環境に参入する。この関係性の初期パターンは、いかに自分を説明しようとも、そこに不透明性として現れる。

私が示唆したいのは、呼びかけの構造は語りの特徴、その多様な属性の一つではなく語りの中断である、ということだ。物語が誰かに宛てられるとき、それは語りの機能には還元されないレトリック的次元を引き受ける。それはその誰かを想定しており、その誰かを召喚し、働きかけようとする。私の説明が始まるとき、言語とともに何かがなされている。それは決まって、対話的、亡霊的、負荷的、説得的、戦術的なものだ。言語は真理を伝えるものかもしれないが、それが可能なのは——もし可能なら——言語の関係的次元を行使することによってのみである。

こうした見方は、道徳的判断の形成にとっても意味を持っている。すなわち、呼びかけの構造は、誰かについて、あるいは誰かの行為についての判断形成を条件づける。また、それは判断には還元されない。そして、呼びかけの構造を伴う倫理に負うところのない判断は、暴力に向かいやすい。

しかし、ここでは差し当たって、特に語りの一貫性が倫理的手段——すなわち自分自身と他者における認識可能性の限界を受け容れること——を予め排除(フォアクローズ)してしまう、という仕方で語りに付随することがある、疑わしい一貫性を問題にすることにしよう。人が語りという形式で自分の生を説明しうるようにすれば、ある種の倫理——関係性とは断絶してしまう傾向にある倫理——の基準を満たすために、その生を偽る必要さえあるかもしれない。人は、他者が説明に与える証拠の重さに満足するかもしれないが、その結果として、どんな対話の光景が生み出されるのだろうか。対話者同士の関係は、証拠を吟味する裁判官と、立証に伴う理解不可能な重責に応えようする懇願者との関係として確立されることになる。そのとき私たちは、カフカからそう離れていない場所にいる。実際私たちが、もし自分の人生がしかじかの道をたどった理由を物語の形で語りうる、つまり一貫した自伝を書きうる誰かを必要としているとすれば、その人物の真理と仮に呼びうる何かよりも、継ぎ目のない物語のほうを好んでいることになるだろう。真理とはある程度まで、既に示唆したような理由から、中断、中止、未決の瞬間に――語りの形式に簡単には翻訳されないような謎めいた分節の中で――より明白になるものである。

ここから、倫理の実践としての転移の理解により近づくことができるだろう。実際、もし私たちが、（暴力的にも）倫理の名の下に、他者がある種の暴力を自分自身に対して振るうよう求め、他者が私たちの前で物語的説明、もしくは告白をすることでそうするよう求めるなら、そして他方で、もし私たちが中断を容認し、維持し、受け容れるなら、ある種の非暴力の実践がそれに続くかもしれない。暴力とは、主体が自らの支配と統一性を再設置しようとする行為であるとすれば、そのとき非暴力は、他者に対する私たちの義務が引き起こし、命じる、自我の支配への粘り強い挑戦を生きることから生まれるのかもしれない。

この完全に語ることとの失敗は、私たちが最初から他者の生へと倫理的に巻き込まれているその仕方を指し示しているのかもしれない。分裂した主体、あるいは自分自身に対して永久に不透明な形でしか接近できない主体、自己を基礎づけることのできない主体であることは、まさに行為能力（エイジェンシー）の基礎と説明可能性の条件を持っていないということだと言う者もいるかもしれない。とはいえ、私たちが最初から他者性によって中断されているその仕方が、私たちの生の語りを終えることを不可能にしているのかもしれない。ここでの目的は、ある種の非一貫性の観念を誉めそやすことではなく、ただ次のことを指摘することでしかない。つまり、私たちの「非一貫性」によって、私たちが関係性――私たちを超え私たちの目の前にある社会的な世界に巻き込まれ、それによって注視され、もたらされ、維持されている――の中で構築されるその仕方が作り出されているのである。

　ある人々が言うように、自己は語られねばならず、語られた自己のみが理解可能で生き延びうる、と言うことは、私たちは無意識とともに生き延びることはできない、と言うことに等しい。それは言わば、事実上、無意識が私たちを耐え難い理解不可能性によって脅かしており、そうした理由から私たちはそれに反対しなければならない、と言うようなものだ。こうした発言をする「私」は、確実に、様々な形で、それが否認するものによって取り囲まれていることになるだろう。この立場――それは一つの立場であり、言わば直立不動の姿勢、用心深く、意図的な立場であるはずだ――を取る「私」は、「私」が無意識なしで生き延びていると信じている。あるいは、もし「私」が無意識を受け容れるなら、この「私」はそれを、「私」を知ることによって完全に回復可能な何か、恐らくは所有物として受け容れ、無意識は余すところなく完全に意識的なものに翻訳されうる、と考えるのである。これが防衛的姿勢であることは容易に理解されるが、さらに、こうした特有の防衛が何であるのかを理解する必要がある。それは結局、多くの人々が精神分析そのものに反対して取る立場なのだ。語りえない起源に対して反対を唱える言葉の中に存在するのは、語りの不在がある種の脅かし、つまり生への脅かしをもたらし、ある種の死の危険、つまり、自分自身の出現の条件を決して完全には取り戻せないような主体の死の危険——確実性ではないにせよ——をもたらすのではないか、という怖れなのである。

しかし、これがもし死であるなら、それはある種の主体の死であるにすぎない。つまり、そこからは決して始められなかった主体の死、不可能な支配の幻想の死であって、それは決して持つことのなかったものを喪失することである。言い換えるなら、それは必然的な［喪失の］悲しみなのである。

「私」と「あなた」

もし私が私なら
私はあなたである。

——パウル・ツェラン

こうして私は、私自身についての物語を始めようとする。私はどこからか始めて、時間を設定し、一連の場面（シークエンス）を開始しようとして、恐らくは因果的連関、あるいは少なくとも語りの構造を示そうとする。私は語り、語りつつ自分を束縛し、自分自身を説明し、どのようにしてなぜ私が私であるのかを要約するよう機能する物語の形で、他者に説明する。

しかし、語りの声として出発点に導入された「私」が、どうやって自分自身を語る、あるいはとりわけこの物語を語る「私」になるかを説明できないとき、自分を要約しようとする私の試みは失敗するし、その失敗は必然的である。また、連続性（シークエンス）を作り、ある出来事を別の出来事と結びつけ、この結びつきを明らかにする動機を与え、傾向を明らかにし、承認をもたらしたいくつかの出来事あるいは契機を重要なものとして同定し、繰り返される傾向を基本的なものとして示すとき、私は単に、私の過去について何かを伝達しているだけではない——それは疑いなく私のしていることの一部であるのだが。私はまた、自分が描写しようとしている自己を成立させているのであり、語りの「私」は、それが語りそのものの中で行使されるたびに再構築されるのである。そのような語りの「私」の行使は、それが語りそのものの支えとして機能するときでさえ、逆説的にも行為遂行的（パフォーマティヴ）で語りに属さない行為である。言い換えるなら、私はそうした「私」によって何かを行っている――つまり現実の、あるいは想像上の聴衆に対してそれを練り上げ、位置づけている――のだが、「語ること」が私の行っていることの一部をなしているにもかかわらず、それは「私」についての物語を語ることとは別の何かである。では、「語ること」のどの部分が他者に対して働きかけ、新たに「私」を生み出すのだろうか。

この「私」が演じる行為遂行的で談話的な行為が存在するのとまったく同様に、「私」が実際に物語りうることには限界が存在する。この「私」は語られ、分節されている。そして、その「私」が私の物語る語りを基礎づけているように思われるにもかかわらず、それは語りの中で最も基礎を欠いた契機である。「私」が語ることのできない物語の一つは、語るだけでなく自分自身について説明するような「私」として、自分自身が出現する物語である。この意味において、物語は語られているが、物語を語る「私」、恐らく一人称の語り手として物語に登場するような「私」は不透明な点を構成し、連続性を中断し、物語の直中に裂け目、あるいは語りえないものの侵入を引き起こす。だから、私が語る私自身の物語は、現実に存在する「私」を前景に立て、それを私の生と呼ばれる何ものかと関係した連続性へと挿入しつつも、私が導入されるその瞬間に、私自身を説明することに失敗してしまう。事実、私はいかなる説明も与えられず、これからも与えられないような人物として導入される。私は自分自身について説明するが、その説明が自らの生を語るこの話す「私」の形成に至るとき、そこにはなされるべきいかなる説明も存在しないのである。私が語れば語るほど、私は説明困難であることが判明していく。「私」はその最善の意図に反して、自分自身の物語を破滅させるのである。

「私」は自分自身について最終的な、あるいは十分な説明を行うことができないが、それは「私」が、「私」を創始する呼びかけの光景に立ち戻ることができないからであり、また、説明そのものを生み出す呼びかけの構造のレトリック的次元すべてを語ることができないからだ。これら呼びかけの光景のレトリック的次元は、語りに還元することができない。このことは、転移において、あるいはむしろ、転移が与えてくれるコミュニケーションのモデルにおいてより明確になる。というのも、そこでは人は時に語りかけられ、また常に直接、間接に呼びかけの形式で語っているからだ。

もし私が自分自身を説明しようとするなら、それは常に誰かに対してであり、私の言葉を何らかの仕方で受け止めてくれると私が想定している人に対してである――たとえ、私は常にどのように受け止められるかを知らず、また知ることができないとしても。実際、受け止める側と位置づけられる者は、まったく受け止めていないかもしれず、いかなる状況でも「受け止めること」とは呼ばれないような何かに関わっているかもしれないのであり、私はありうべき受け止めへの関係が分節されるような場、立場、構造的位置を作る以外のことはしていない。従って、いま受け止めてくれる他者がいるかどうかは問題ではない。というのも問題は、ありうべき受け止めへの関係が生じる場が存在する、ということだからだ。ありうべき受け止めに対して、この関係は多くの形を取る。すなわち、誰もこれを聞き取ることはできない、この人はきっとこれを理解してくれるだろう、私はここでは拒絶されるだろう、そこでは誤解されるだろう、裁かれるだろう、退けられるだろう、受け止められるだろう、あるいは抱き止められるだろう、といった具合に。他と同じようにここでも、転移は過去からシナリオに力をもたらし、まさに、別の表現形式では与えられないような物事を再現している。また同時に、新しい、恐らくは変化するであろう関係が、このよりアルカイックな源泉によって作り出されるのである。より正確に言えば、転移とは、過去が過去でないという生きた証明である。というのも、過去がいま取る形は、転移そのものである他者への関係の、現在における編成(オーケストレーション)の中にあるからだ。この意味で、現在生きられている過去にとって、語りとは単なる手段ではなく、また必ずしも最も感情的な関与というわけではない。過去はいまここにあり、初期の関係性の輪郭に構造と生命を与え、転移と分析家の召喚、活用を活発にし、呼びかけの光景を編成(オーケストレート)しているのである。

思うに、人は誰かに自分の言葉を受け止めてもらうために分析に行く。これはある種のジレンマをもたらす。というのも、その言葉を受け止めてくれるかもしれない人は、大部分未知のままに留まるからであり、また、言葉を受け止める者は、ある意味で受け止めそのもののアレゴリー、他者へと接合された——あるいは少なくとも、他者の面前での——受け止めの《幻想》的関係のアレゴリーになっているからだ。しかし、もしこれがアレゴリーであるとすれば、それは——私たちに個人の生を理解するための一般的構造を与えるかもしれないにせよ——すべての人に等しく適用されるような受け止めの構造には還元できない。一人称で自分自身を語る主体は、ある共通の困難に遭遇する。私が物語を直線的に語ることのできないときが、明らかに存在するのである。私は脈略を失い、再び始め、何か決定的なことを忘れてしまい、それをどのように織りなすかを考えることも困難になってしまう。私は考え始め、ここに語りを、ある失われた輪を、年代記(クロノロジー)のための可能性を与えてくれる何らかの概念の糸があるはずだと考える。そして、「私」は次第に概念的になり、次第に目覚め、焦点のあった、規定されたものとなる。この時点で、私が他者の面前で知的自立をもくろみ、私の地平から他者をほぼ排除するとき、私の物語の糸はほつれてしまう。もし私がそのような知的自立を達成するなら、他者に対する私の関係は失われてしまうのだ。そのとき、私は見捨てられた体験、私を制圧する依存を追体験することになる。経験を純粋に概念的に練り上げることとは違った何かが、こうした局面に現れるのである。語る「私」は、その語りを誘導することが不可能であると知り、語りが不可能であり、なぜ語りが挫折するのかを説明することができないと知る。「私」は自分自身を経験するようになり、あるいはむしろ、それが誰であるかを——取り返しのつかない形でではないにせよ——根本的に知らない者として、自分自身を追体験するようになる。そのとき、「私」はもはや受け止めてくれる分析家あるいは他者に対して語っているのではない。「私」はある光景を上演し、自分自身にとって自分が不透明性であるような光景へと他者を召喚する。「私」はある極めて特定の仕方で崩壊する——他者の面前で、あるいはレヴィナス的に言えば、〈他者〉の顔を前にして［in the face of the Other］、（最初私は「〈他者〉の顔を前にすること［the in face of the Other］」と書いたが、それは既に私の構文が崩壊していることを示している）、あるいはさらに、〈他者〉の顔、声、あるいは沈黙した現前によって。「私」は他者の目前で、自分が崩壊するのを知る。「私」は自分自身を知らないし、恐らく決して知ることはないだろう。しかし、自分を知ることは絶対になすべき作業なのだろうか。語りによって生を適切に説明できるようになることは最終目標なのだろうか。そして、そうあるべきなのだろうか。「私」を構成する破損、切断を、語りという手段によって覆い隠すことは絶対になすべき作業なのだろうか——それは諸要素を、あたかもそれが完璧に可能であるかのように、またあたかも崩壊が修復可能であり、防衛的支配が修復可能であるかのように、完全に強制的に結び合わせるものなのである。

他者を前にして人は、常に自分自身を説明しようとしてきた「私」を説明することができない。この過程においてある種の謙虚さが生じ、恐らくまた、知りうることの限界についての認識が生まれることになる。この意味で、あらゆる被分析者は恐らく素人のカント主義者なのである。しかし、ここにはそれ以上のもの、つまり、言語とその歴史性に関する問題が存在する。主体形成を生み出す手段は、主体形成の再構築が生み出そうとする語りの形式と同じではないのである。それでは、主体を構成する際の言語の役割とは何だろうか。そして、言語が主体そのものの構成の条件を回復、もしくは再構築しようとする際に引き受ける別の役割とは何だろうか。第一に、「私の形成はどのようにして「私自身の」形成になったのか」という問題がある。いつどこで、この所有と所属の確信が生じるのか。私たちはこの点について物語を語ることはできないが、恐らく、私たちがそれを獲得できる何か別の仕方——言語によるものすら——が存在するだろう。私が「私」と言うとき、私は言語における「私」という代名詞の地位を引用しているだけではなく、原初的影響を証明し、同時にそこから距離を取っているのである。原初的影響とは、「私」を獲得する前に、私が触れられ、動かされ、養われ、おむつを取り替えられ、寝かしつけられ、発話の主体、客体として確立される原初的方法のことである。私の幼児期の身体が触れられ、動かされ、整えられただけではなく、これらの影響が、私の形成に登録された諸々の「触覚記号」として働いたのである。これらの記号は、声に還元されないような仕方で私に伝えられる。それは他者の記号であり、「私」がそこから生じることになる痕跡でもある。この「私」は決して完全にこれらの記号を取り戻し、あるいは読解することができないだろう。「私」にとって、これらの記号はある程度、制圧的、読解不可能で、謎めいた、形成的なものに留まるだろう。

私たちは先に、ボラスの著作における「分節」の概念と語りの概念との差異について考察し、「表現的」で「分節された」ものは、それがある種の心的変容を作り出し、転移関係においてポジティヴな変化を与えるためには、常に語りの形を取るわけでない、と示唆した。そのとき私が提起したのは、「分節」という言葉は、表現のために欲望されたモデルとして、物語的な説明能力の限界を示唆する、ということだけでなく、その分節そのものが必然的な限界を持っており、完全な分節とは精神分析にとって語りの停止、支配と同じくらい問題含みの願望である、ということであった。ジャン・ラプランシュは、完全な分節に限界があるのは、原初の享楽［jouissance］への回帰を予め排除する（フォアクローズ）ラカン的「分割線」のせいではなく、大人の世界がその特殊性において子供に対して作り出す、制圧的で謎めいた印象のせいだと主張している。ラプランシュにとって、象徴的意味での〈他者〉は存在せず、子供の世界において保護者的大人の役割をする様々な他者だけが存在する。実際、ラプランシュにとって、これら保護者が「父」、「母」としてエディプス的に構成されていなければならないと仮定する理由はないのである。[26]

ボラスにとって、分析家が転移と逆転移を通じて召喚される環境は、被分析者が「過去の」光景の意識されないが能動的な編成（オーケストレーション）と、分析家の「活用」へと関与する環境である。対してラプランシュにとって、幼児にとっての原初的体験は、例外なく制圧された体験であり、未発達の身体能力による「無力さ」の体験であると同時に、大人の世界の影響についての深い無知の体験でもあるように思われる。そのとき、転移において謎めいたものとして現れるのは、無意識と欲動の形成に先立つ、制圧された状態という原初的状況の残滓なのである。

　ラプランシュは、自己保存のために働きつつ幼児の生の原初的条件を形成する、「世界への知覚、運動の開かれ」について述べている。幼児は、自分を取り巻く諸関係へと適応し、最も基本的な欲求の充足を確保するために、環境へと開かれていなければならない。この開かれはまた、大人の無意識的セクシュアリティの世界へと早熟に曝されることでもある――たとえ、セクシュアリティが自己保存に由来するのではないことを幼児がはっきり知っているとしても。開かれは、社会的世界、メッセージ、あるいはシニフィアン――それらは環境から子供に課され、いかなる素早い適応も不可能な制圧的で支配不可能な原初的刻印を生み出す――の帰結として現れる。実際、これらの原初的刻印は、容認不可能な原初的外傷を構成するのであり、ラプランシュはそれを「絶対的な原初的過程」と呼んでいる。その結果、原抑圧が起こり（いかなる行為能力(エイジェンシー)もこの抑圧を生み出すことはない。ただ抑圧の行為能力(エイジェンシー)のみが存在する）、原抑圧は無意識を樹立して、「原初的源泉対象、つまり欲動の源泉」[27]を確立する。抑圧されるのは、これら原初的刻印の「物表象」である。つまり、外傷の結果として、最初は外的であった対象が性欲動の源泉、あるいは原因として組み込まれるようになるのである。諸欲動（生の欲動と死の欲動）は原初的なものとは見なされない――それらは他者の謎めいた諸欲望の内面化に由来し、最初は外的であったこれら諸欲望の残滓を運んでいる。結果として、あらゆる欲動は疎遠さ［étrangèreté］に取り囲まれており、「私」はその最も基本的な衝動において、自らを自分自身に対して疎遠なものとして見出すのである。

　ラプランシュは、この説明が欲動の原初性と、欲動の源泉を純粋に生物学的なものに帰することに反駁する点に自覚的である。「欲動の身体、性感帯への関係は身体から考えられるべきものではない。それは身体に抑圧された源泉対象の作用である」[28]。実際のところ幼児は、ラプランシュの言う大人の世界からの「メッセージ」を扱うことができない。幼児はそれを「物表象」（フロイトはこの概念を、無意識の理論化に際して提示している）の形で抑圧するが、それは後に、部分的な知を持つ欲望の主体に対して謎めいた形で現れる。復元不可能で主題化できないこの情動の起源は、語りの形であれ、別の表現手段によってであれ、厳密な意味での分節化を通じては回復されない。私たちはメタ理論的に原抑圧のシナリオを再構築しうるが、いかなる主体も、自分自身の形成の復元不可能な基礎をなす原抑圧の物語を語ることはできないのである。

ラプランシュにとって、原抑圧は無意識における「物表象」として制圧的な情動を再構成するのであり、これら「物表象」は「謎のシニフィアン」として現れる。この過程は、「無意識的で性的な意味作用がすっかり浸透したもの」と見なされる大人の世界の帰結であり、幼児に押しつけられるのだが、その幼児は「自分自身に提示された性化されたメッセージに対応する生理学的、もしくは感情的反応を持たない」[29]。同じくラプランシュが述べるところでは、幼児の持つ問いは、自分が乳房に接しうるか（予め近親相姦の禁止へと曝されていることを前提とした問い）ではなく、乳房は私に何を望んでいるのか、というものである[30]。欲望はまず外部から制圧的な形で現れ、それがいったん主体自身の欲望になっても、この外的で疎遠な性格を持ち続けることになる。こうして、ラプランシュによる幼児のセクシュアリティと主体形成の原初的条件へのアプローチから引き出しうる、転移の内部で生じる問いがあるとすれば、それは「あなたは誰か」ではなく、「私が与えることのできない何かを要求することの「あなた」とは誰か」というものだろう。彼は、キャシー・カルースによるインタビューで次のように発言している。

いわゆる精神分析から出発して——たとえば、乳房とその乳房の現実性から出発して——知の理論を作ろうとすることは、分析家の大きな過ちです。あるいは、ウィニコットは最初の私ならざるものの所有から出発し、彼が過渡的対象と呼ぶものから外界を構築するのですが、そういった試みも含めて、これは大きな過ちなのです。私たち人間レヴェルでの問題は、他者は再構築される必要がない、ということです。他者は主体に先立っています。性的レヴェルでの他者は生物学的世界に侵入しています。ですから構築する必要はなく、それはあなたにとってまず、一つの謎として到来するのです。[31]

ラプランシュは、幼児はまずこれら謎のシニフィアンを受動的に登録する、と主張する。抑圧は最初の行為の発生を構成するのだが、それは言わば、いかなる行為者にも先立つ行為である。これら謎のシニフィアンはいったん抑圧され、次に内部から「攻撃して」くるのであり、この謎めいた攻撃には大人のセクシュアリティの経験にも生き残っているような何かがある。主題化や語りを通じては復元不可能な何かが、人の欲望の中に、また欲望に対して存在するのである。子供にとって自分自身の衝動の目標は、謎めいた、不可解なものとなるだけではなく、一生を通じて何らかの形で残り続ける。この状況が子供による理論化、つまりこれらの攻撃を結びつけ、それらに何らかの一貫性を与えようとする試みを生み出すのである。

実際、ラプランシュの示唆によれば、理論とは、私たち自身にとっての私たちの基本的な不透明性を形作る謎に対して、傾向や意味を確立する方法として、こうした苦境から生まれてくる。精神分析的な転移では、この謎（原初的過程そのものを回復することで、それを除去するはずのもの）を回復することも除去することもできない[32]。ラプランシュにとって、転移とは根源的な誘惑の光景を再生し、甦らせるものである。こうして問題は、分析家が誰を代理しているのかではなく、「分析家は私に何を求めているか」でしかない。そこからラプランシュは、カルースによるインタビューで、自分とウィニコットとの違いを次のように明らかにしている。「最初の私ならざるものの所有について語ることが問題なのではなく、性的な人間存在にとっての問題は、最初の私を所有すること、つまり、過剰な他者性から出発して自我を形成することなのです」。私たちは、対象世界を再構築する自我から出発するのではない。私たちは最初から謎めいた他者性――そのために「私」の練り上げは常に困難な作業となる――に取り囲まれているのである。なすべきことは、確立された自我から他者たちの世界に移ること、ナルシシズムを超えて愛情の可能性へと至ることではない。むしろ、愛情は最初から既に多元決定されている。というのも、他者は幼児を取り囲み、呑み込んでいるからあり、この原初的侵害から脱出することは、成功の可能性がごく限られた闘いだからである。

こうしてラプランシュは、疎遠な欲望を「自分自身の」欲望の前提条件として措定する。「私」が欲望するとき、誰が欲望しているのだろうか。私の欲望の中で他者が作動しているようであり、この疎遠さは、限界づけられ、孤立した私自身を理解しようとする努力を崩壊させる。私は私自身の物語を語ろうとするかもしれないが、別の物語が既に私の中で作動しているのであり、この幼児期の条件から出現した「私」と、最初から私の欲望に住みつきそれを収奪する「あなた」——一群の「あなたたち」——を区別することはできないのだ。ここで私たちは、自分自身を両親から完全に解放しようとするゲオルクの過ち、つまり彼の自殺という結末に至る「過剰な」愛情を、ラプランシュ的手法で読み取ることができる。死刑宣告は彼の父の行為なのだろうか、あるいは彼自身の行為なのだろうか。また、この二つの行為を互いに切り離す方法はあるのだろうか。なぜ父は、息子に死を宣告した後に、ベッドの上にくずおれるのだろうか。死刑宣告によって部屋から駆け出すよう強いられるのは息子なのだろうか、つまり彼は自分自身の行為能力（エイジェンシー）によって階段を下り、水中へと身を投じたのだろうか。「それは彼を突き動かす［Es triebt ihn］」の「それ」、息子を彼のアクロバティックな死へと駆り立てるこの疎遠さとは何なのだろうか。もし両親が息子の欲望から解放されえないのだとすれば、欲望の「行為能力（エイジェンシー）」は、息子の独立した自己にではなく、その自己に内在する疎遠な対象に基づいており、それが不透明な仕方で彼を行動させているように思われる。恐らく、ある種の分離が彼を救ったかもしれないし、あるいは恐らく死そのものが、両親への不滅の愛と宿命的に一体となった、両親からの決定的な分離への願いだったのかもしれない。

　ラプランシュにとって、他者の優越性はある種の倫理的結論を導くものである。彼はカルースによるインタビューで、死についての私たちの最初の問いは、私自身の死についてではなく、むしろ他者の死についてのもの——つまり、「なぜ他者は死ななければならないのか」、「なぜ他者は死んだのか」——だと語っている。他者は言わば最初に到来するのであり、それは、同時に他者の死に言及することなく、自分自身の死に言及することはない、という意味である。『精神分析における生と死』の序文で彼は述べている（カルースはそれを引用している）。「もし死に関するある種の倫理をフロイトの態度から引き出すべきだとすれば、それは、あらゆる熱狂に対して［……］抱く警戒心という方向において、あるいは、自分の死と他者の死が還元不可能な形で混じり合っていることを隠さない明晰さという方向においてであろう」[33]。

この発言は、〈他者〉の優越性への精神分析的アプローチには、生の不安定さに対して人を鈍感にさせるような熱狂への倫理的警戒が含まれる、と示唆している。それはまた、他者の死によって私が私自身の死へと関与することなしに、他者を犠牲にして自分自身の死から身を守ることはできない、とも述べている。「私」の基盤には言わば社会性が存在するのであり、逃れがたい――そして逃れるべきでない――「私」の有限性が存在しているのである。

ラプランシュは「責任と応答」の中で、人は自分の夢について責任を負わなければならないか、という興味深い問いに焦点を合わせて、責任と精神分析の関係についてのフロイトの考察を検討している[34]。夢は自分自身の心だけを反映しているのだろうか、あるいは他者の思考と欲望を登録しているのだろうか。もし、他者の思考と欲望が私の夢に侵入しているとすれば、そのとき私は、たとえ無意識のレヴェルにおいてであれ、他者によって包囲されていることになる。ここからラプランシュは、フロイトに従って「恥」に焦点を当てる。精神分析は「恥」を人間存在の概念化のために必要としており、ラプランシュはそれを心理学的領域におけるコペルニクス的転回と結びつけている。「人は自分において自分に［chez lui en lui］居心地がよくないのであり、つまり自分自身において彼は主人ではない。つまり人は（私の言葉では）脱中心化されている」[35]。この脱中心化は、他者が最初から私たちにある種のメッセージを送っており、彼らの思考を私たち自身の思考の中で強力に主張しており、私の存在の内奥で他者と私の識別不可能性を生み出している、ということから帰結するのである。

人間存在の概念化におけるコペルニクス的転回の考察から、ラプランシュはレヴィナスについての短い議論へと至る。そこで彼は、自分はレヴィナスのフッサールについての初期著作に興味を引かれたが、それ以後の著作に影響を受けたとは言えない、と述べている[36]。彼はレヴィナスとの重要な差異について次のように明言する。「コペルニクス的脱中心化は、単に自己中心化された知覚の主体、コギトにとって有効なだけでなく、時間において自己中心化された主体にも有効である。それは、大人という自らの存在に中心化された主体である」[37]。彼の考えでは、レヴィナスはハイデガーと同じように、大人の経験を脱中心化するのに失敗した。あるいはむしろ、レヴィナスは、大人の経験が最初から幼児期の経験によって脱中心化されていることを理解するのに失敗した。「もしこの点を真剣に受け止めようとするなら、フロイトにおける幼児期の優位性は、無意識、あるいはエスの外部性と同じくらい取り返しのつかない形で――また非反省的な形で――私たちを脱中心化する」[38]。幼児期の視点から現れる他者への原初的な問いは、「私に話しかけているこの人は誰か［Quelle est la personne qui me parle ?］」というものだ[39]。私に話しかける他者は、「相互的」やりとり、あるいは均衡的コミュニケーションという状態にはない。状況は最初から非対称的であり、他者からのメッセージへの関係において「私」は武装解除され、受動的な状態にいる。こうした状況下で、幼児は不充分な解釈や応答しかすることができない。

それでは、ラプランシュが記述するような最初の応答と責任との関係はどのようなものだろうか。彼はヨブの物語に注意を向け、レヴィナス的用語を使って、絶対的非対称性という状況下での応答の困難を記述する。幼児が応答するのは、ヨブが一見して残酷な神に、つまり「名づけえない迫害」に応答するようなものだ。[40] この迫害の刻印がサディズムの性化された能力になる。ラプランシュによればこの能力は、私たちの夢が証明しており、また残虐行為と戦争において明らかになる。レヴィナスは、この最後の見解については確実にラプランシュに従うことはないだろう。他方ラプランシュは、制圧的な大人への子供の応答は、自分を再中心化すること、あるいは生きる方法として再中心化を追求することであろう、と指摘する。この（天動説的）作業は、無意識を否認し、主体を再中心化し、それによって件の大人を、サディスト的衝動――大人はそれが自分自身を構成する潜在性だと理解することを拒む――の行為化（アクティング・アウト）への誘惑にいっそう曝されるようにすることだ。転移とは、この光景が再び作り上げられる場でありうる。しかし、この無意識を取り除くことはできないし、エスを完全に自我へと取り替えることもできないし、また、受け容れがたいサディズムと残虐性を解き放つことなく主体を再中心化することができないのも疑いがない。興味深いことに、脱中心化されたままでいることは、他者の死に巻き込まれたままでいることであり、それによって抑制なき残虐性（批判なき熱狂の極限的ケース）――そうした残虐性において自己は、自らを構成する社会性から絶縁しようとし、他者を殲滅しようとする――から距離を取っていることを意味するのである。

幼児は、言語と一連の記号――それらは、あまねく解釈されることによって、受容性と要求が既に作用している状態を構造化し始める――に最初から委ねられた世界に参入していく。最初から委ねられたというこの原初の経験に続いて、「私」が出現するのである。そして「私」は、自らの支配への要求とは無関係に、このように最初から委ねられた状態を決して乗り越えることはない。レヴィナスはこれに似たことを示している、と言われるかもしれない。彼は受動性に先立つ受動性について語っており、それによって、受動性を経験する主体、つまりある種の反省性の行為を通じてそうした受動性に関わる主体と、主体に先立つ受動性、自分自身の主体化の条件、その原初的な刻印可能性との差異を示そうとしているのである。

ここで他者とは、言わば私の情動的な生の可能性の条件であり、それは、私のものである欲動と欲望を生じさせる源泉対象として、私の中に据えられている。対象関係の視点からすれば、原初的刻印は外的だが最も近い対象を構成しており、新たに現れた主体は、自分の基本的欲求を満たすためにそれに愛着するだろう。この観点から帰結するのは、幼児は「対象」として現れるあらゆる物を、どんなものであれ愛する傾向がある（まったく愛することなく、愛しそこねることで、自らの生存を危うくするよりも）、ということだ。これはむろんスキャンダルである。というのも、それが示しているのは、愛とは最初から判断力を欠いており、ある程度、判断力がないままであるか、少なくとも、それ以後の進展を判断する適切な判断力を欠いている、ということだからだ。

私が記述しようとしているのは主体の条件であるが、それは私のものではない、つまり私はそれを所有していないのである。それは、私が所有するか、要求するものの領域を構成するものに先立っている。それは執拗に「私のものであること［mineness］」の要求を解体し、時に優しく、時に激しくそれをあざけるのである。それは、私のものの領域そのものの形成に先立つ〈他者〉によって構成される仕方のことである。原初的な刻印可能性は、「私は刻印可能である」と予め通告的に述べうるような、既存の自己の特徴、もしくは賓辞ではない。私はそのように言いうるかもしれないが、それは逆説的な言い方になるだろうし、また、私は原初的な形式の刻印可能性に言及することはないだろう。私がこのような言明を提示するのは、謎めいたままに留まるものを受け容れるためであり、私の言明と理論はそのようにして、それらが説明しようとする刻印と欲動そのものによって引き起こされるのである。このレヴェルでは、私たちは［自己の］形成過程における境界にはまだ言及しておらず、反省性、自己言及の能力——つまり、自己を所有するための言語的支え——に頼ることもまだ求めていない。この領域は、主語の文法が統御できない領域である。というのも、他者における、他者を通じた収奪は、「私」——自分自身を所有していると、時に、また常に皮肉を込めて主張するような「私」——の生成に先立っているからだ。

　実のところ私が語っているのは、主体の前史についての物語、つまり私が語りえないと論じてきたものである、とあなた方は考えるかもしれない。こうした反論に対する回答は二つある。（一）語っている「私」の前史についての、決定的な、あるいは十分な物語的再構築は存在しない、ということは、それを語ることができない、という意味ではない。それが意味するのは、私たちが語るときに、私たちは思弁的哲学者、あるいは虚構（フィクション）の書き手になってしまう、ということでしかない。（二）この前史は出来事を停止させることはなかったし、そうしたものとして、それはいかなる年代記的（クロノロジカル）な意味でも前史ではない。それは始末され、終わったものではなく、自己の因果的、もしくは物語的再構築の一部をなす過去へと追いやられているわけではない。それどころかこの前史は、私が示さねばならない私自身の物語を中断し、私自身のあらゆる説明を断片的で失敗したものにし、ある意味で、私の行為、私の最終的な「無責任性」――つまり、私がそれ以外にどうすることもできない、という理由でのみ赦されうるような「無責任性」――を私が完全には説明できないものにしている。この「それ以外にどうすることもできない」ことが、私たちに共通した賓辞なのである。

そうした前史は、私が自分自身を叙述する際にはいつも生じ続ける。「私」と言うことによって、私は「私」によっては捉えられない、もしくは同化できない何かを経験している。というのも私は、私自身に対して常に遅すぎる仕方で到来するからだ（ニーチェは『道徳の系譜学』において、「事後性［Nachträglichkeit］」という精神分析的概念を明確に予告している）。私は、道徳性のある種の形式と精神的健康のある種のモデルとが要求するような形で――つまり、自己は一貫した語りの形式で自分自身を言い表すものだ、といった形で――自分自身を説明することが決してできない。「私」とは、自分自身を説明するあらゆる語りの努力に失敗する契機である。「私」は、説明されないままに留まり、その意味で、自己の語りというプロジェクトそのものが要請する失敗を構成している。自分自身を説明しようとするあらゆる努力は、この失敗に直面し、そこで破綻することを余儀なくさせられるのである。

しかし恐らく、このような失敗に遭遇しなければならない必然的な理由はない。ここで、無意識に反対する立場について想起しておくことはやはり重要である。その立場とは、語ることのできない自己は結局生き延びることができず、生きることができない、と主張するものだ。こうした立場を取る者は、主体の生存可能性そのものがこの語りの可能性に存すると考えているようだ。語りえないものの仮定はこうした主体を脅かし、まさしく死をもって脅かしうる。私は、それが避けがたく一般的な形を取るとは思わない――つまり、もし私が私自身について物語を語ることができないなら、私は死んでしまう、という形を。ただし、道徳的脅迫という状況下では、こうした形を取ることはありうる。それはつまり、もし私が自分の何らかの行為について説明できなければ、死んだほうがましだ――というのも、私は自分をこれらの行為の張本人と見なすことができず、私の行為が傷つけたかもしれない人々に言い訳が立たないから――といった脅迫のことである。確かに、ここにはある種の絶望が存在しており、その絶望において、私は私自身を反復し、私の反復は、自己に関する私の根本的な無知の場を繰り返し再現している。こうした状況下で、私はいかに生きるべきだろうか。私が何をしているかを説明するだけでなく、私が何をすべきかを決めるような、より高度の行為能力（エイジェンシー）を私に持たせうる説明によって私が倫理的になることは不可能であり、こうした不可能さとともに生き続けるよりは、恐らく死んだほうがましなのかもしれない。

こうした極端な自己非難について印象的なのは、倫理的理想として想定された、透明な「私」という大げさな概念である。これは自己の受け容れ（自分の構成的限界についての謙虚さ）、もしくは寛大さ（他者の限界に対する心構え）が開花する余地のある信念ではない。反復、不透明性、苦悩の瞬間は確実に存在するのであり、そのせいで常に分析家のところへ行かざるをえず、分析家のところでなくても、物語を受け止めてくれる誰か――受取人――、またその物語を受け止めていくらか変化させてくれる誰かのところへ行かざるをえない。他者は、物語が新たな形で返され、諸々の断片が何らかの仕方でつなぎ合わされ、不透明な部分が明らかにされるかもしれない、という期待を代理しているのである。他者は、語りえないことを目撃し、登録するのであり、語りの筋道を見分ける者として機能する。ただし、他者は主として、その聴くという実践を通じて、自己を受け止めるような関係を成立させる者として機能する——自己非難という恐るべき苦境の中で、自己は自らにそうした関係を与えることができないのである。そして、次の点を認めておくことは重要だと思われる。「私」の苦痛と不透明性は他者によって目撃されるだけではない。他者は「私」の苦痛と不透明性の名前になりうるのである——「あなたは確かに私の苦痛だ。あなたは不透明だ。つまり、あなたとは誰なのか。私の中に住まい、そこから区別することができない、このあなたとは誰なのか」といった形で。他者はまた、他者の名の下に住まう《幻想》を分離し、対話の光景の中で分析対象として提示することで、この同一視を拒絶する、崩壊させる、あるいは「取り押さえる」こともできる。

この呼びかけ、転移の呼びかけにおいて誰が語っているのだろうか。ここで何が語っているのだろうか。「ここ」とはどこであり、転移の時間の「いま」とはいつなのだろうか。現在の私が物語的捕捉に反抗し、思弁を強い、すべての完全な解明に抵抗する不透明性として自分自身を主張するとすれば、これは私が「あなた」——私がどんな説明もできない仕方で内面化されている他者——と根本的な関係を持つことの帰結だと思われる。もし私がまず呼びかけられ、その結果として私の呼びかけが生まれ、原初的呼びかけによって力を与えられ、そしてその呼びかけの謎を担うとすれば、そのとき私はあなたに話しかけているが、あなたもまた、私を構成しており、私の語りの行為において不透明なものとして存在する。あなたが誰であれ、あなたは根本的に私を構成しており、原初の刻印可能性の名前になっている——つまり、私が登録する外部からの刻印と、その登録の場である「[対格の]私[me]」という必然的感覚との間のはっきりしない境界の名前になっているのである。この創設の光景の中で、自己の文法そのものはまだ確固たるものにはなっていない。こうして人は反省的に、またある謙虚さの感覚をもって次のように言うかもしれない。つまり、始まりにおいて、私はあなたに対する関係であり、両義的に呼びかけられ、呼びかけており、「あなた」に託されているのであって、私は「あなた」なしでは存在しえず、生き残るために「あなた」に依存しているのだ、と。

そのとき、私を受け止める接触や記号と、私である自己との間にはいかなる差異もない。というのも、境界はまだ設定されておらず、他者とこの「私」の間の境界――従って、それらの可能性そのものの条件――はまだ生起していないからだ。（文法がいまだ「私」を容認していない時点で）私がこれからなるべき自己は、最初の時点において――暴力の光景に、放棄に、欠乏に、生を支えるメカニズムにさえ――捕らえられている。というのも、良かれ悪しかれ、その支えなしでは私は存在しえないし、私の存在そのものは、その支えに依存しており、根底から、また還元不可能な両義性とともに、その支えであるからだ。これは、言わば私たちが立ち戻る光景である。私たちの行為はそこで生まれるのであって、その光景は語りによる支配という態度を優しくもしくは恐らく激しくあざけるのである。人はその光景をすっかり覆い隠そうとすることもできるし、実際、叙述された「私」は恐らくその覆いとして機能するだろう。この不透明性の出現を回避しようとすれば、いかなる行為も選択できないかもしれない。つまり、行為することはただちに、語りの構造を打ち破り、自己――私はそれを語りによって支配している――を失ってしまう危険を冒すことなのである。実際のところ私は、崩壊――それは「行為すること」によって早まるかもしれず、あるいは私の確信によれば決定的に早まるだろう――の危機を避けるために、語りによる支配を維持しているのである。

しかしまた、自分についての物語を語ることは、既に行為することである。なぜなら語ることは、暗黙の特徴として、一般的な、あるいは特定の宛先をもって演じられる一種の行為だからである。それは他者へと向けられた行為であり、また他者を必要とする行為であって、その中には他者が前提とされている。こうして、他者は私の語りという行為の中にいる。問題なのは、向こうに、私の彼岸にいて、何かを知ることを期待している他者へと情報を伝えることだけではない。それどころか、語ることはある行為を演じることであって、その行為とは、〈他者〉を前提とし、他者を措定し、練り上げ、どんな情報を与えるよりも前に他者へと、あるいは他者のおかげで与えられる。従って、もし最初の時点で——ここで私たちは苦笑せざるをえないのだが、それは、私たちはこの最初の時点についていかなる権威をもって語ることもできないからであり、実際これを語ることは、私たちが別の場合には享受しうるような、どんな語りの権威をも失ってしまう原因なのだ——私があなたへの呼びかけにおいてしか存在しないとすれば、私そのものである「私」はこの「あなた」なしでは何者でもなく、他者への関係の外側では、自分自身への言及を始めることすらできないことになる。そして、この自己言及の能力は、他者への関係によって生まれるのである。私はぬかるみに足を取られ、委ねられており、「依存」という言葉さえここでその役目を果たすことができない。これが意味するのは、私はまた、私の自己形成に先立ち、それを可能にするような仕方で形成されている、ということだ。そして、この特殊な他動詞性について語ることは——不可能ではないにせよ——困難である。

倫理と社会批判との関係を再考することが必要だろう。というのも、語ることがかくも困難だと私が考えるものの一部は、私を存在させる規範――その性格において社会的な――だからである。規範とは言わば私の発話の条件であるが、私はこれらの条件を、私の発話内で完全に主題化することができない。私は自分自身の社会的起源によって中断されているのだから、自分が誰であるかを検討する方法を、自分に先立ち、自分を超えるものによって私が作られていることを明らかにする形で――もっとも、このことが私を、私自身を説明しなければならないという義務から解放してくれることは決してない――見つけなければならない。ただしそれが意味するのは、もし私が主体としての私の地位を設定し、維持する規範を再構築できるかのように振舞うなら、そのとき、これらの規範の社会的次元が含む、私の語りの混乱と中断そのものを拒絶することになる、ということなのである。これは、私がこれらの物事について語ることができないということではなく、ただ、私が語る際に、なしうることの限界、こうした行いのすべてを条件づける限界を注意深く理解しなければならない、という意味でしかない。この意味で、私は批判的にならなければならない。

第三章　責任＝応答可能性

自分の身体の身体性は、感受性そのものとして、存在の結び目あるいは解き目を、決して解かれることのない結び目を意味している。

——レヴィナス『存在するとは別の仕方で』

では、私がここで追求してきたような理論に従うとき、責任＝応答可能性［responsibility］とはどのようなものになるだろうか。語りえない何かにこだわることで、私たちは自分自身あるいは他者が自分の行動に対して負う責任の度合いを限定してしまったのではないだろうか。私が提起したいのは、責任の意味こそこの限界に基づいて再考されるべきである、ということだ。それを、自分自身に対して完全に透明な自己という慢心に結びつけてはならない。[1] 実際、自分自身に対して責任を取るということは、あらゆる自己理解の限界を率直に認め、それらの限界を主体の条件としてだけでなく、人間共同体の持つ困難として打ち立てることである。理性の限界が私たちの人間性の徴しであると言えば（実際にそう言っているのだが）、私は啓蒙の円環から完全には抜け出していないことになる。こういう発言はカントの遺物でさえあるかもしれない。私自身についての説明は破綻しており、それにはもちろん理由があるのだが、だからと言ってそれは、私自身を完全に説明する理由を私がすべて提供できる、という意味ではない。数々の理由が私の中を勢いよく駆けめぐり、私はそれを十分に取り戻すことはできず、それは謎のまま、私自身の親密な他性、私自身の私的な、あるいはそれほど私的ではない不透明性として私の元に留まる。私は「私」として語るが、そうした仕方で語っているときに、自分の行っていることがすべて正確にわかっていると思うような過ちは犯していない。思うに、私は自分の中に他者を含む形で構成されているのであり、私自身に対する自分の疎遠さとは、逆説的にも他者たちと私との倫理的つながりの源泉なのである。社会関係において責任ある行動を取るために、自分自身を知る必要があるのだろうか。確かにある程度はそうだろう。だが、私の無知には倫理的な誘因があるのではないだろうか。もし私が傷つけば、その傷こそが、私が刻印可能であり、自分で十分に予想したり制御したりできない形で他者に身を委ねていることの証左なのである。私は、他者と切り離して責任の問題だけを考えることはできない。もしそうすれば私は、責任の問題が最初に現れる呼びかけ（他者に呼びかけられているだけでなく、呼びかけてもいる）の様態から自分自身を切り離してしまうことになる。

これは、傷つくような形で呼びかけられることはありえない、という意味ではない。あるいは、呼びかけられることは外傷的でないこともある、という意味でもない。ラプランシュにとって、原初の呼びかけは制圧的なものであり、解釈や理解を許さない。それは外傷の原体験なのである。呼びかけられることは外傷を伴い、外傷的なものと共振し、にもかかわらず、この外傷は再発見されることによって、事後的に経験されるしかない。別の言葉が私たちに到来する。不意にわけもなく打ちのめす一撃、呼びかけ、あるいは名指しが。人は奇妙にも、まさにこの打ちのめされた存在として、休みなく語り続けて生きていくのである。

ラプランシュとレヴィナス——他者の優位

レヴィナスは主体の主体性について語っている。この言葉を用いたいと思うなら——なぜそう思うのか、いやなぜそう思わないのか——恐らく主体なき主体性について語るべきだろう。誰も所有することも、語ることもできない、傷ついた空間、既に死んだ瀕死の身体の傷、つまり私、私の身体について。

——モーリス・ブランショ『災厄のエクリチュール』

もし、私たちが言語の領域を支配できるにすぎず、他者の呼びかけを十分に支配できないという点で他者の呼びかけに対して脆弱（ヴァルネラブル）であるとしたら、それは、私たちには行為能力（エイジェンシー）がなく、責任＝応答可能性がないということを意味するのだろうか。責任の要求を行為能力（エイジェンシー）の可能性と分けて考えるレヴィナスにとって、責任は他者の意志せざる呼びかけに従った結果として生じる。これは、彼がひどく執拗に、迫害は迫害された者にとって責任を生み出すと主張するときに述べていることの一つである。この種の言明を最初に聞くとたいていの人々はたじろぐものだが、それが何を意味しないのか注意深く吟味してみよう。それは、私が被った迫害行為の原因を、私が遂行した行為にまで遡ることができる、ということではなく、それゆえ私が私自身に迫害をもたらした、ということでもなく、私が行ったが否認した行為を発見することが問題であるにすぎない、というわけでもない。いや、迫害とは、正確に言えば、私自身のいかなる行為の保証もなく生じるのである。そしてそれは、私たちを自分の行為や選択へと立ち戻らせるわけではなく、根本的に意志しない存在の領域、原初的なものへと立ち戻らせる。それは、〈他者〉による私たちへの侵害を創始するのであり、逆説的にも、私を「［対格の］私［me］」として形成する以前に、あるいはむしろ、私を対格の私自身を最初に形成する手段として形成する以前に私に生じる侵害を創始するのである。

　レヴィナスは、対格［accusative］としての私［moi (me)］の創始を文法的かつ倫理的な意味で考えている。ある種の告発［accusation］を通じてのみ、「［対格の］私」は生起するのである。この意味で、レヴィナスは逆説的にも、罪の告発が主体の可能性を生み出すと考えるニーチェと足並みをそろえている。ニーチェにとって、主体は自分自身を傷の原因として遡及的に理解することを通じて生起し、自分自身を罰するようになり、そうして、「私［I］」がまず「［対格の］私［me］」という対象として自分自身を扱うような再帰性＝反省性［reflexivity］を生み出すのである。けれどもレヴィナスにとって、責任は自己没入や自己非難として出現するわけ**ではない**。責任に求められているのは、行為者と行為の間の因果関係に依拠しない、〈他者〉への倫理的関係を理解することなのである。

　レヴィナスは『存在するとは別の仕方で』[2]の中で、選択能力のある自己について語る前に、まずそうした自己がどのように形成されるのかを考えなければならない、と明記している。彼の言葉で言えば、この自己の形成は「存在すること［essence］の外部」で生じる。実際、主体が生起するとされる領域は、原初的侵害の効果として自己が形成された後にのみ人間や事物の現象界が可能になる、という意味において、「前存在論的」領域である。私たちは、この原光景の「場」や「時」を探し求めることはできない。というのもこの原光景は、存在論的領域を画定する時空間的座標に先立ち、またそれを条件づけてさえいるからだ。この光景を記述することは、「自己」がある場所と時間に形成され、境界画定されるような、また「自己」が「対象」や「他者」をどこか別の場所に位置づけられたものとして考察するような記述領域に別れを告げることである。この認識論的な出会いの可能性は、自己とその対象世界が既に構成されていることを前提としているが、このような出会いは、その構成のメカニズムを探りそこねている。レヴィナスの前存在論的なものという概念は、この問題に取り組むために考案されている。

レヴィナスにとって、「自我［moi］」はそれ自身の行為によって創始されるものではない。それゆえレヴィナスは、「決断を行う自我に先立って、〈自我〉が生起する、あるいは告発される場である、存在の外部が必要である」と主張して、サルトルの実存主義的説明に真っ向から異論を唱えている。私たちは、ここでいう「告発」の意味をすぐに理解することもできるだろうが、この原初的瞬間あるいは原光景をレヴィナスがどう説明しているか考えてみよう。レヴィナスによれば、自我が生起するのは、

> 無際限の感受性によってであり、原因の力に従属する物質を想定することではない――というのも、そのような想定はある価値付与によって多元決定されているからだ――無秩序な想定なしによってである。〈自我〉は、自己を蝕み、まさしく自己への撤退であるようなある種の自責の中で誕生する。これは身代わりの絶対的な再現である。〈自己〉の条件――もしくは非条件――はそもそも、既に〈自我〉を前提とする自己触発ではなく、まさしく〈他者〉による触発――アナーキックな外傷〔無起源的［an-archique］で、原理を欠き、従って間違いなく謎に満ちており、いかなる明確

な原因も付与しえないもの」であり、自己触発と自己同一化の手前にある。ただし、責任による外傷であって、因果性による外傷ではない。[3]

原初的外傷が生じるのは、〈他者〉による最初の侵害を通じてである、というレヴィナスの主張を受け容れてもよいだろう――これは疑いなくラプランシュの見解であるが、彼はこの侵害を告発とは見なしていない。レヴィナスにとって、なぜこの外傷、〈他者〉によるこの触発は告発や迫害という形を取って現れるのだろうか。「迫害とは、主体がまさにロゴスの媒介なしに打撃を受け、あるいは接触を受ける瞬間である」[4]とレヴィナスが述べるとき、彼が再び言及しているのは、言わば意識されることなく、原因なしに、そして何の原理もなく作用する迫害的な「打撃」や「接触」によって主体が創始される、というこの「前存在論的な」光景である。私たちが問うべきは、なぜこれが迫害として理解されるのか、あるいはむしろ、レヴィナスがどんな迫害について語ろうとしているのか、という点である。他者の存在に対する受動的な関係は、自我［moi］の形成に先立つ――もしくは、少し別の言い方をすれば、自我の形成を生み出す手段になる。そのとき、受動性としての形成は、主体自身の行為のあらゆる可能性に先立って、自我を対象に任じながら他者によって働きかけられ、主体の前史を構成する。この光景は、意志的でも選択されたわけでもないがゆえに、迫害的である。それは、自分自身で行動する、あるいは自分自身の名において行動する可能性に先立って働きかけられる、存在の仕方なのである。

ちょうどラプランシュが、原抑圧や、欲動と「私」の形成についての自分の話は思弁的にならざるをえないと警告するように、レヴィナスは、この前存在論的な始まりを物語る形式を見つけることができると考える私たちに警告している。レヴィナスはこう述べている。「迫害、身代わりの無秩序な受動性の中で自我が生起することは、私たちがその歴史を語ってきたような何らかの出来事ではなく、自我［……］――つまり存在に、あらゆる存在に服従する自我――が記述される複合的状況である」。[5] レヴィナスが「受動性以前の受動性」と呼ぶこの受動性は、能動性の反意語としてではなく、既定の存在論的領野の内部の文法や相互作用の日常的記述の中で生まれる能動－受動という区分の前提条件として理解されねばならない。この存在論的領野を共時的な形で横断しているのは、その逆へと転換することはありえない受動性という前存在論的条件である。これについて理解するためには、意志的でなく、選択の余地がなく、また他者への応答性の条件をなし、さらには他者に対する私たちの責任の条件をなす、他者への感受性について考えなければならない。とりわけそれが意味するのは、この感受性が非自由を指しており、そして逆説的にも、いかなる選択の余地もないこの感受性に基づいてのみ、私たちは他者に対して責任を負うようになる、ということである。

もちろん、レヴィナスがいかにして、人間には他者に対する根本的に選択の余地なき「前存在論的」感受性があるという主張から、この感受性が他者への責任の基盤を形成しているという主張へと移行するのか、という点を理解するのは、最初は容易なことでない。彼は、この原初的感受性がまさしく「迫害」であることを極めて明確に認めている。というのもまさしく、それは意志的なものではないからであり、私たちは根本的に、私たちに対する他者の働きかけに従属しており、この感受性が意志的行為や自由の行使に取って代わる可能性はないからである。私たちは、自分が行ったことに対してだけ、自分の意図や行為に遡ることができることに対してだけ責任を負うことができる、と考えがちである。レヴィナスは、責任と自由を結びつけるのは誤りだと主張し、この見方をきっぱりと拒絶している。私は自分に対してなされたことゆえに責任を負うようになるのだが、もし「責任」の意味が、自分の被った侵害を自分自身のせいにすることだとすれば、私は自分に対してなされたことに責任を負うようにはならない。それどころか、私はそもそも自分の行為ゆえに責任を負うのではなく、私の原初的な、取り消すことのできない感受性、私のあらゆる行為や選択の可能性に先立つ受動性のレヴェルで確立された〈他者〉への関係ゆえに責任を負うのである。

レヴィナスによれば、この場合の責任とは、ある種の自己非難でもなければ、私の行為のみが他者に対して因果的効果を及ぼしているという大げさな概念でもない。むしろ、働きかけられる私の能力が私を責任という関係に巻き込む、ということである。これは、レヴィナスが「身代わり」と呼ぶものを経て生じるのであり、それによって「私」は、初めから〈他者〉、他性に取り囲まれたものとして理解される。彼はこう述べている。

あたかも苦痛がそれ自体［……］償いの魔力であるかのように、自らを辱めるからではない。苦痛において私が侮辱されるから、つまり原初の外傷と自己への回帰――そこで私は、自分の望まなかった物事に、つまり私が被る迫害に絶対的な形で責任を負っている――がなされるからである。[6]

レヴィナスは、侮辱された自己を、「この非〈場〉へとあなたを追いやるあらゆるものの身代わりになる地点へと」[7]後退させられたもの、と表現している。私ならざる私を追いやる何かと、「「対格の」私」とは、まさしくこのように追いやられた経験の中で、その効果として生起するのである。「追いやられる」という絶対的な受動性は、ある種の迫害であり、侵害であるが、それは私が不当に扱われるからではなく、私が一方的に扱われるからだ。そして、現在の私以前の「私」は、この時点では〈他者〉による侵害に服従する根源的な感受性にすぎない。もし私が〈他者〉による働きかけを通じてのみ責任を負うようになるとすれば、それはまず「私」が〈他者〉による働きかけを通じて「「対格の」私」という存在になるからだ。そして、この原初的侵害は既に初めから倫理的呼びかけなのである。

　身代わりはどのように関与してくるのだろうか。私を迫害するものが「私」の身代わりになるように思われる。私を迫害するものが、私を存在に至らせ、私に働きかけ、そうして迫害の瞬間に私を促し、私を存在論へと駆り立てるのである。これが示唆するのは、私は一方的に外部からの働きかけを受けるだけではなく、この「働きかけ」が私という感覚を創始するのであり、それは最初から〈他者〉の感覚である、ということだ。私は〈他者〉の行為の対格目的語として働きかけられ、私の自己はまずその告発の中で形を取る。迫害が取る形は身代わりそのものである。つまり、何かが私の場所を占め、その場所が既に他者によって占められている、という仕方でのみその場所を理解しうる「私」が出現する。それゆえ、始まりにおいて私は迫害されているだけではなく、包囲され占有されているのである。

　もし何かが私の身代わりをする、あるいは私の場所を占めるとすれば、それが意味するのは、かつて私がいた場所にそれが存在するようになるということでも、もはや私は私ではないということでも、何らかの形で取って代わられているがゆえに私は無へと溶解してしまったということでもない。むしろ身代わりが意味しているのは、還元不可能な他動詞性、つまり身代わりは単一の行為ではなく、いつ何時にも生じている、ということである。[8]「迫害」は、何かが私に対して外部から作用していることを示唆しているのに対し、「身代わり」は、何かが私の場所を占めていること、あるいはより正確には、何かが私の場所を占め続けていることを示唆している。「人質に取られること」とは、何かが私を包囲し、私を自由にさせないような仕方で侵害している、という状態を意味する。どこかの誰かが支払わなければならない私の身代金があるのかもしれない（だが不幸にも、カフカ的手法で、その人物はもはや存在しないか、自由に使える金は既になかった）、といった可能性さえある。

ここで示しておくべき重要な点は、レヴィナスは原初的関係が虐待的なもの、あるいは恐ろしいものだと言っているのではない、という点である。彼は単に、私たちは最も根源的なレヴェルで、何も言うべきことがないような仕方で他者によって働きかけられており、そしてこの受動性、感受性、侵害されているという条件が私たちの現在のあり方を創始している、と述べているのである。レヴィナスは、主体形成に言及するとき、幼年期に触れることはないし（幼年期はレヴィナスにとって何の要因にもならない、と言うラプランシュは正しいようだ）、通時的な説明も一切していない。［主体形成の］条件は、むしろ共時的で際限のない反復として理解されているのである。

最も重要なのは、この侵害されることという条件もまたある種の「呼びかけ」である、という点だ。誰のものでもない声、無限で前存在論的だと考えられる神の声が、〈他者〉の「顔」において自身を知らしめている、と論じることもできる。それは、原初的呼びかけについての数多くのレヴィナス自身の主張と確かに一致している。けれども、私たちはここでの目的に照らして、レヴィナスの〈他者〉を、社会生活の観念化された二者構造に属するものとして扱うことにする。他者の行為は私に「呼びかける」のだが、それはこれらの行為が、その「顔」が私に倫理的要求をしてくるような、還元不可能なある〈他者〉のものだという意味においてそうなのである。「私を残忍に扱う〈他者〉にさえ顔がある」と言うことができるかもしれないし、そのことは、私たちを傷つける人々へと倫理的に応答し続ける困難を捉えるものだろう。しかし、レヴィナスにとって、要求とはよりいっそう強いものだ。つまり、「まさしく私を迫害する〈他者〉には顔がある」のである。そのうえ、その顔は私のほうに向き直り、その呼びかけを通じて私を個別化する。私に対する〈他者〉の行為が、身代わり可能性を通じて私を（再び）創始するのに対して、〈他者〉の顔は、特異で、還元不可能で、置き換え不可能な仕方で私に呼びかける、と言ってもよいかもしれない。こうして、「私［I］」とともにではなく、対格の「私［me］」とともに責任が生じるのである。「「〈私〉［Moi］」と言う存在以外に結局誰が、他者たちの苦しみを背負うというのだろうか」[9]。

他者の行為と顔に対するこの原初的感受性、望まざる呼びかけの完全な両義性が、私たちの傷への曝されと〈他者〉への責任とを構成している、という想定は理解可能である。この感受性は、それがレヴィナスの言う「傷と侮辱」への脆弱さと曝されをもたらしているがゆえに、まさしく倫理の源泉なのである。これらの感情は、彼の考えからすれば、「責任そのものに固有の」ものである。重要なことは、私たちを存在させている身代わりという条件が、それにもかかわらず、他者が私たちに行う倫理的要求との関係において私たちを特異で置き換え不可能なものにしている、ということだ。「自己自身は置き換え不可能なものとして、忌避しえない仕方で他者に委ねられたものとして、つまりは「自己を供与する」ために――苦しむために、贈与するために――受肉されたものとして生み出される」[10]。

もしこのように侮辱に身を曝すためでなければ、私たちは〈他者〉に対して責任を負えという要求に応じることはできないだろう。責任についての私たちの日常的な考え方が、レヴィナスの定式において変更されていることを想起しておくことは重要である。あたかも私たちが〈他者〉の行為を生み出したかのように、私たちがそれらの行為に対して責任を取ることはない。それどころか、私たちは自らの関係の核心にある不自由を認めているのである。私は、〈他者〉が何をしようが、私が何を意志しようが、〈他者〉との関係を否認することはできない。実際、責任＝応答可能性とは、意志を陶冶することではなく、〈他者〉に応答するための源泉として意志せざる感受性を用いることなのである。〈他者〉が何をしたとしても、〈他者〉は私に倫理的要求をするし、〈他者〉には私が応答しなければならない「顔」がある。これは、私が選択した関係では決してないがゆえに、言わば私は報復を免れている、ということだ。

選んだわけでもない人に対して倫理的に責任を負うということは、ある意味で侮辱である。けれども、レヴィナスはここで、ありうべき選択に先立ち、その基礎をなす責任の行方に注意を向けている。そこには、他者の「顔」に応答することが恐ろしく、不可能なことのように感じられる状況があり、殺意に満ちた報復への欲望が制圧的に感じられる状況がある。しかし、〈他者〉への原初的で意志せざる関係は、主意主義も、エゴイズムという自己保存的な目的に基づいた衝動的攻撃も思いとどまるよう要求する。それゆえ「顔」は、迫害者に向けられた攻撃に対して法外な禁止を伝えるのである。「倫理と精神」の中でレヴィナスは次のように述べている。

顔というものは侵すことができない。絶対的に防護を欠いたあの目、人間の身体の最も剝き出しの部分が、しかしながら所有に対する絶対的抵抗を見せるのだ。この絶対的抵抗には、殺人の誘惑が刻み込まれている。［……］。〈他者〉［Autrui］とは、私たちが殺したい誘惑に駆られうる唯一の存在である。この殺人の誘惑、そしてこの殺人の不可能性が、顔を見ることそのものを構成している。顔を見ること、それはすでに「汝殺すなかれ」を聴取＝理解することである。そして「汝殺すなかれ」を聴取＝理解しうること、それは「社会的正義」を聴取＝理解することなのである。[11]

もし〈他者〉による「迫害」が、私たちの意志に関係なく一方的に課せられた一連の行為について言及するものであるとすれば、この用語はレヴィナスが傷について、そして最終的にはナチスの大量虐殺について語るとき、彼にとっていっそう文字通りの意味を帯びることになる。驚くべきことに、レヴィナスはこう記している。「迫害による外傷において」、倫理的なものは、「被った侮辱から迫害者に対する責任への、［……］苦しみから他者に対する償いへの移行」に存する。[12]このように責任＝応答可能性は被迫害者への要求として生じるのであり、そしてその中心をなすジレンマは、迫害への応答として殺害するかどうかということである。これは殺害を禁じる極限の事例、その正当化が最も理に適っていると思われる条件と言ってもよいかもしれない。一九七一年にレヴィナスは、迫害と責任をめぐる彼の考察に対してホロコーストが持つ意味を再考している。迫害から責任＝応答可能性を引き出すことは、ユダヤ人およびその他のナチスの大量虐殺の犠牲者の宿命を彼らのせいにする人々の意見と危険なほど共鳴する、ということにレヴィナスは間違いなく気づいている。レヴィナスはこの見解をはっきりと退ける。しかし彼は、迫害をある種の倫理的要求であり好機であると規定している。レヴィナスは、迫害と責任の特殊な結びつきをユダヤ教の中核として、さらにはイスラエルの本質として位置づけている。レヴィナスは、「イスラエル」によって語の二つの意味を、つまりユダヤ民族とパレスチナの土地の双方を両義的な仕方で指示している。彼は、論争含みな仕方でこう主張している。

イスラエルの究極の本質は、意図せぬ犠牲に対する生来の［innée］傾向、迫害への曝されにあるのかもしれない。これは、聖体のパンのように実現される神秘的な贖罪を考えるべきだということではない。過ちを犯したことがないのに迫害されること、有罪であることは、現在ではなく、いかなる罪よりも古い普遍的責任――〈他者〉［l'Autre］に対する責任――の裏面である。こちらの普遍性は、目には見えないのだ！ 自我［*moi*］が選びを引き受けるまさにそれ以前に、この自我を定立する選びの裏面。これを他者たちが濫用する［abuser］かどうかは、彼ら次第である。この責任に限界を設けるか、あるいは全面的に引き受けるかは、自由な自我［*moi* libre］次第である。しかしそうできるのは、この根源的責任の名において、このユダヤ教の名においてのみなのだ。[13]

このパラグラフは、様々な理由から複雑かつ問題含みである。とりわけ重要な理由は、ナチズム下のユダヤ人の受難と、一九四八年から彼がこの著作を書いた一九七一年までのイスラエル――土地としても民族としても解釈される――の受難との間にレヴィナスが指摘する直接的な結びつきである。イスラエルの宿命をユダヤ人のそれと同等に扱うことは、ユダヤ教におけるディアスポラ的、また非シオニスト的伝統の双方を捨て去るというまさにその理由からして、議論の余地のあるものだろう。さらに強調すれば、一九四八年だけで七〇万人以上ものパレスチナ人が彼らの故郷や村落から大規模かつ強制的に退去させられたことを考えるなら、この時期にイスラエル国家のみが迫害を受けたと主張し、継続する戦争と占領という剝奪に言及しないことは明らかに間違っている。奇妙に思われるのは、レヴィナスがその具体的な歴史的情勢から「迫害」を抽出し、それを一見、時代を超越したユダヤ教の本質として定立しなければならない点である。もしこれが正しいなら、それとは反対のいかなる歴史的な議論も定義上の根拠のみに基づいて論駁されうることになる。つまり、「ユダヤ人は定義上被迫害者なので、ユダヤ人が迫害を行うことはありえない」というように。このように「イスラエル」が被っている事態を迫害だと考えることは、主体の前存在論的構造に関する彼の見解と一致している。もしユダヤ人が普遍的メッセージを伝えるがゆえに「選民」と見なされるとすれば、また、レヴィナスの見解における「普遍的なもの」が、迫害と倫理的要求を通じて主体を創始する構造化だとすれば、そのときユダヤ人は前存在論的迫害のモデルと実例になるのである。もちろんここで問題になるのは、「ユダヤ人」が、（無限そのものに接近するための名でない限り）文化的に構成された存在論に属する一カテゴリーだということである。それゆえ、仮にユダヤ人が倫理的応答性との関係において「選民的」地位を維持しているとすれば、レヴィナスは前存在論なものと存在論的なものとを完全に混同していることになるだろう。ユダヤ人とは存在論の、あるいは歴史の一部ではない。しかしレヴィナスは、ユダヤ人をこのように存在論や歴史から除外することによって、歴史的に考えてイスラエルの役割は永遠かつ排他的に迫害されるものだと主張するのである。二領域の同じような混同は、他の文脈からも明らかだ。レヴィナスは、露骨な人種主義をもって、ユダヤ教とキリスト教が倫理的関係性そのものの文化的かつ宗教的な前提条件だと主張し、ユダヤ的普遍主義の「再発見された真実性を脅かす、アジアと低開発国の民族の無数の大衆［des masses innombrables de peuples asiatiques］の台頭」[14]に注意を促している。これは結果として、倫理は「異国文化」の上には存在しえない、という彼の警告と共鳴するものである。

私は、彼の議論に感じる異議（それは複雑かつ断固としたものだ）をここですべて暴露しようとは思わないが、レヴィナスにおいて、迫害の前存在論的意味――それはいかなる存在論にも先立って生じる侵害と関連している――と、民族の「本質」を定義することになる完全な存在論的意味との間に、ある種の揺らぎが存在していることは強調しておきたい。同じように、パラグラフ最後の並列によってこの本「本源的な責任という名」が「このユダヤ教という名」と並べられており、その点において、この本源的でそれゆえ前存在論的な責任がユダヤ教の本質と同じであるということが明白になっているように思われる。というのも、これがとりわけユダヤ教の顕著な特徴でなければならないとすれば、それはすべての宗教の顕著な特徴にはなりえないのであり、彼は聖人やアブラハム、イサク、ヤコブの歴史を参照していないあらゆる宗教的な伝統に警告を発しつつ、このことを明記しているのである。[15]彼の表現によって私たちは、ユダヤ民族が問題含みにイスラエルと同一視され、かつ迫害されるだけで決して迫害しないものとして描かれる、という信じがたく法外な説明を受け取るわけだが、しかしながら、言わば彼の見解に反して彼の説明を読解し、異なる結論に到達することもできる。確かに、ここでのレヴィナスの言葉は傷や侮辱をもたらすものであり、読者に倫理的なジレンマを提示する。彼は、ある既存の宗教的伝統を倫理的責任への前提条件として定め、それによって、他の伝統に倫理性への脅威という烙印を押しているのだが、私たちにとっては、レヴィナスが不可能であると主張するまさしくその地点において、差し向かいの出会いを主張することに意味がある。さらに、ここで彼は私たちを傷つけているにもかかわらず、いや恐らく、彼はまさしく私たちを傷つけているがゆえに、私たちは彼に対して責任＝応答可能性を負うべきなのである——たとえその関係が非相互性ゆえに苦痛になってしまうとしても。

彼によれば、迫害されることは〈他者〉に対する責任の対応物になる。その二つは根本的に結びついており、私たちはこの点について、顔の持つ二重の誘因の中に客観的な相関物を見出す。「この殺害への誘惑と殺害の不可能性が、顔のヴィジョンそのものを構成している」。迫害されることは、それへの応答として殺害を引き起こしうるものであり、決して傷を生み出していない人々に復讐を企てるような、殺人的攻撃の転位さえ引き起こす。しかしレヴィナスにとって、倫理的要求はまさしく顔の人間化から現れる。つまり、自己防衛のために私を殺人に駆り立てる人は、私に要求してくる「人」であり、また逆に、私が迫害者になることを防いでもいるのだ。もちろんここで議論されるべき点は、迫害されるという状況から責任＝応答可能性が生じるという点である――このことは特に、責任が、自分自身を他者の傷害行為の原因と同定することを意味しないのであれば、強圧的で、直観に反した主張である。しかし、歴史的に構成された何らかの民族集団が定義上常に迫害される側にあり決して迫害者ではない、と主張することは、存在論的レヴェルと前存在論的レヴェルを混同しているばかりか、受け容れがたい無責任さと、「自己防衛」の名の下に行われる無際限の侵略を容認しているように思われる。実際、反ユダヤ主義や大虐殺（ポグロム）、六〇〇万人以上が殺戮された強制収容所といった苦難を含め、ユダヤ人には文化的に複雑な歴史がある。しかしながら、宗教的で文化的な伝統の歴史もまた存在しており、そのほとんどがシオニズム以前のものである。また一般的に認められているよりも盛んに論じられていることだが、複雑な理想としてのイスラエルへの関係の歴史も存在している。迫害がユダヤ教の本質だと述べることは、ユダヤ教の名の下に遂行された行為（エイジェンシー）と侵略を無視するばかりでなく、特異な前存在論的条件――普遍的なものと解され、ユダヤ民族の超歴史的かつ定義上の真実と見なされたそれ――を通じて、複雑かつ特殊であるはずの文化的で歴史的な分析を予め回避しているのである。

レヴィナスが参照する（また、そのいかなる表象も「裏切り」になりうると彼が言う）「前存在論的」領域を呼び出すことは困難である。というのも、前存在論的なものは、その痕跡を残す存在論的なものへと高まっていくように思われるからだ。どんな有限な表象も表象された無限を裏切ってしまうが、表象は確かに無限そのものの痕跡を保持している。主体の「創始」は、無限の倫理的要求を伝達する侵害によって生じる。しかし、この光景はそのときに語られることはない。それは時間の至るところに再発するのであり、時間以外の秩序に属しているのである。この点について、ラプランシュによる簡潔なレヴィナス批判を想起しておくことは興味深い。その批判は、レヴィナスの立場では人間主体の通時的な形成を説明できない、という点に中心を置いたものである。レヴィナスが「[対格の]私」の創始を、前存在論的な侵害の共時的に捉えられた原初的光景から説明するのに対して、ラプランシュは、幼児、原抑圧、源泉対象——この対象は欲動の内的発生因や、その回帰的な不透明性になる——の形成について考察している。しかしながら両者にとって、〈他者〉の優位［primat］もしくは刻印は原初的、創始的であり、この本源的に受動的な侵害と、その受動性という試練の中で形成された応答性の外部で、「[対格の]私」が形成されることはないのである。

ラプランシュにおける幼児は、性化された大人の世界が課す一般化された誘惑によって「制圧されて」おり、性的「メッセージ」を受け取ることができないのであり、その「メッセージ」は、謎めいた理解しがたい形式で、不透明な力動性として自分自身の最も原初的な衝動へと内面化される。大人の世界の謎めいた性的要求は、私自身の衝動、あるいは欲動の謎めいた性的要求として再び表面化する。欲動は世界によるこうした侵害の結果として形成されており、それゆえ自分自身の内的欲動を備えた既成の自我というものは存在しない。つまり、謎のシニフィアン——それは広大な文化の世界に現れる——の内面化の効果として生み出された内面と自我だけが存在するのである。レヴィナスの「[対格の]私」は誘惑ではなく、告発と迫害から生まれる。殺人的攻撃の可能性がこのシナリオに応じて構成されているとしても、「〔対格の〕私」は、最初から存在すると考えられる倫理的応答性――〈他者〉への人間の原初的感受性という構成的特徴――と対になっているのである。

たとえこの原初的迫害が、人を制圧する原初的呼びかけというラプランシュの概念と対応しているように見えるとしても、レヴィナスの立場は、結局のところ精神分析のそれとは両立不可能である。ラプランシュは、無意識を「私の」無意識として理解することはできず、既に存在している私に基づく何か、意識、あるいはさらに自我に変換可能な何かとしては理解できない、と述べている。これは、レヴィナスによる精神分析のカリカチュア、とりわけ、無意識を措定することには我慢できないとレヴィナスが主張する際のそれと一致するようには見えない。私たちが期待するのは、レヴィナスの主張は私たちがこれまでラプランシュに読み取ってきたような立場を引き受けているのではないか、という点である。レヴィナスによれば、意識の「こちら側」は無意識ではなく、「無意識はその隠匿性の中で、意識で演じられるゲームを、つまり、自己の探究としての、意味と真理の探究をリハーサルしているのである」[16]。ラプランシュにおいて、自己意識の復権はありえない。むろんラプランシュにとって、エスや無意識が自我や意識へと転換することはありえないのであり、この点は、まさにこうした目的を追求する自我心理学の形式に対する彼の闘争の中核をなし続けている。自己意識は、まさに文字通り、内的なものとなった他性によって常に駆り立てられているのであり、その他性とは、私たちを自分自身に対して永久かつ部分的に疎遠なものとするような仕方で私たちを通じて脈動する、一連の謎のシニフィアンである。

ラプランシュとレヴィナスは、どちらも原初的受動性の概念に賛同し、「〔対格の〕私」の始まりに

〈他者〉を認めてはいるものの、互いの相違点は決定的である。例えば、ラプランシュの欲動に対する説明を綿密に考察すれば、欲動が謎のシニフィアンによって創始され、構造化されていることがわかる。私たちは、原初的外傷が生じるとき、欲動が既に稼動しているかどうかを明確に決定することができない。しかし転位は、外傷によってのみ生じると考えられるのであり、転位は欲動を創始し、それを「本能」とされる最低限の生物学的条件から切り離す。[17] もしラプランシュにとって、大人の世界から伝えられる謎めいた性的メッセージを前にした原初的な無力さが存在するとすれば、また、もしこれが原抑圧と謎のシニフィアンの内面化を引き起こすとすれば、そのとき、この原初的な刻印可能性は単に「受動的」であるとは思われない。それはむしろ無力で、不安で、怯えた、制圧されたものであり、また結局のところ欲望的なものではないだろうか。言い換えれば、侵害が生じる瞬間に起きる、一連の情動的応答が存在するということだ。

レヴィナスが、〈他者〉の殺害とは倫理が抗しなければならない誘惑であると認めるとき、それは攻撃性もしくは殺人の衝動という基本概念への彼の態度を示しているのだが、にもかかわらず、彼は欲求あるいは欲動という一連の原初的なものの概念には順応できていない。しかし、ラプランシュとレヴィナスにとって、これら原初的情動は、攻撃性であろうと欲動であろうと、〈他者〉による原初的侵害の帰結であり、そうした意味で常に「副次的」なのである。レヴィナスが、原初的受動性は倫理的応答性と分かちがたく結びついている、と断言するのに対して、ラプランシュは、刻印と欲動は原初的に分かちがたく結びついている、と主張する。ラプランシュにとって、大人の世界は、無力さの感覚を生み出し支配への欲望を引き起こしつつ、子供に対して制圧的な仕方で謎めいたメッセージを送っている。しかしこれらのメッセージは、単に刻印されるのではない。メッセージは登録され、欲動に引き継がれ、そして欲動が引き受ける次の形式に入り込むのである。これは慎重を要する領域である。というのも、子供が受け取ったメッセージの責任を子供に負わせるのは間違っているように思われるからだ。このようなメッセージは常に、幼児や子供が頼んでもいないのに送りつけられたものとしてまず到着する。にもかかわらず、それらのメッセージの意味を理解し、それらのための場を見出し、また大人になった後で、それらが意識によっては完全には復元できないレヴェルに登録されているという事実と折り合いをつけることが、新たに生まれた人間の闘い、課題となるのである。

　自己の意志に反して初めから課されるという経験は、責任感を高めると言えるのだろうか。委ねられ、構造化され、また呼びかけられることについて述べてきたことすべての中で、私たちは恐らく知らないうちに行為能力（エイジェンシー）の可能性を破壊してきたのではないだろうか。大人の経験の中で、私たちは間違いなく、あらゆる類の傷を被っており、侵害さえ被っている。このような経験が、原初的な可傷性や刻印可能性のような何かを顕わにし、原初的経験を多かれ少なかれ外傷的な形で想起させてしまうのも当然であろう。責任感の基盤を形成しているのはそうした経験なのだろうか。傷あるいは侵害の経験から生じる強い責任感を、私たちはどのような意味で理解しうるのだろうか。

　少し考察しておきたいのだが、「責任＝応答可能性」ということで私が指しているのは、単に怒りの内面化や超自我の支えである強化された道徳感のことではない。まして、私が言及しているのは、自分が被ったことの原因を自分自身の中に見出そうとする罪責感のことではない。これらは確かに、傷や暴力へのありうべき一般的な応答ではあるが、これらはすべて、反省性を強め、主体を支え、自己充足の主張を支え、主体の経験的領野の中心性や不可欠性を支える応答である。フロイトとニーチェの双方がそれぞれ異なる仕方で語っているように、疚しい良心は否定的ナルシシズムが取る形式である。そして、ナルシシズムという形式を取ることによって、それは他者、刻印可能性、感受性、そして可傷性から撤退する。フロイトとニーチェが実に巧みに分析している疚しい良心の無数の形式が示しているのは、主体性の道徳化形式は、それが抑制しようとする衝動そのものを利用し、それを搾取している、ということだ。その上、疚しい良心の諸形式は、抑制の手段そのものがこうした衝動から作り出され、衝動がそれを禁じる法そのものの糧になる、といった同語反復的回路を生み出すことを示している。けれども、疚しい良心を超えた責任の理論化というものは存在するのだろうか。疚しい良心は、主体をナルシシズムへと撤退させる限りにおいて、責任に対してどの程度敵対的に働くのだろうか。というのもまさしく、私たちに生気を与え、倫理的応答の可能性を生み出す他性への原初的関係を、疚しい良心は予め排除（フォアクローズ）するのだから。

　侵害を被るとはどういうことだろうか。暴力に向かうことによって、あまりに早急に苦悩を解決したり、可傷性を抑えこんだりしないと主張することとは、また、別の仕方で生きることを試みるべく、断固として相互的でない応答に留まり非暴力を実践することとは、どういうことだろうか。暴力に直面したとき、それに対する報復を拒絶することとは、何を意味するのだろうか。恐らく、私たちがここでレヴィナスとともに考えねばならないのは、自己保存は最重要な目標ではなく、またナルシシズム的な観点の擁護は最優先の心的要求ではない、ということだ。私たちが原初において、意志に反して侵害されていることは、意志によって避けることのできない可傷性、負債の徴しである。私たちがそうした侵害から身を守ることができるのは、困難で扱いにくく、時に耐え難くさえある関係性を通じて、またそれに抗して、主体の非社会性を重んじることによってだけなのである。意志に基づかないものの領域から一つの倫理を作り出すということは、何を意味するのだろうか。それが意味するのは、〈他者〉への原初的曝されを抵当流れにせず、意志的でないものを意志的なものへと変容させようとせず、むしろ曝されの耐え難さそのものを、共通の可傷性、共通の身体性と危険の徴し、合図として受け取ろうとすること（レヴィナスにとって「共通の」が「対照的な」を意味しないとしても）かもしれない。

「ああ、私はある種の暴力を受けた、ならば私が「自己防衛」という徴しの下で行動を起こすことは十分に許される」と述べることは常に可能である。「自己防衛」という徴しの下に数多くの残虐行為が行われているのであり、そうした「自己防衛」は、まさしく報復の道徳的な正当化を永遠に行い続けるがゆえに、際限を知らず、また際限を知るはずもない。そのような戦略は、攻撃を苦悩と名づけ直す際限なき手段を生み出してきたし、そのようにして今も攻撃に際限なき正当性を与えている。あるいは、「私」もしくは「私たち」は自分自身に対してこの種の暴力をもたらしてきた、と言ってもよいし、従ってそれを、私たちの行為によって説明することもできる――あたかも私たちが、その行為の全能性を信じ、私たち自身の行為はありうべきすべての結果の原因であると信じているかのように。確かに、この種の自責の念は、時としてまさに全能感の批判という徴しの下に、私たちの全能感を募らせる。暴力とは単に、私たちが受ける処罰でもなければ、私たちが被ったことに対する報復でもない。暴力は、物理的な可傷性を浮き彫りにする。私たちは、その可傷性から逃れることができないし、そうした可傷性を主体の名において最終的に解消することもできない。可傷性は、私たちの誰もが完全に拘束され、まったくバラバラに引き離されているわけではなく、むしろ剝き出しのまま、互いの手に、互いの寛容に委ねられているのだと理解する手段を与えている。この状況は私たちが選択しているものではない。この状況が選択の地平を形成し、私たちの責任の基礎をなしているのである。そうした意味で、私たちはこの状況に対して責任を負っているのではなく、この状況こそが、私たちが責任を負う条件を作り出している。私たちはこの状況を作り出してはいない。だからこそ、私たちはそれに留意しなければならないのである。

人間になることをめぐるアドルノ

恋愛における正義の秘密とは権利の揚棄であって、恋愛が言葉なき身振りで指し示しているのはこのことなのである。

——アドルノ『ミニマ・モラリア』

傷に応答することは、倫理的な視点を作り上げ、また人間になる機会さえ与えてくれるものなのかもしれない。アドルノはこの点を、様々な仕方で取り上げている。以下の『ミニマ・モラリア』からの引用で、アドルノは個人的な倫理について述べているように見えるが、しかしその記述にはより広い政治的な意味が含まれている。

恋人に侮辱され、すげなくされた者は、激痛が自分の体を照らし出すのと同じくらい激しく何事かを理解する。彼が認識するのは——盲目の愛はそれを知らず、また知ってもならないのだが——盲目の愛の最も内奥には、決して盲目であるまいとする要求がひそんでいる、ということだ。彼は不当な仕打ちを受けた。そこから彼は自己の権利要求を導き出すのだが、同時にその要求を投げ打たなければならない。なぜなら、彼の求めているものは、自由においてのみ与えられるからだ。こうしたジレンマに苦しんでいるうちに、ふられた者は人間になっていく。[18]

「こうしたジレンマに苦しんでいるうちに、ふられた者は人間になっていく」という主張は、傷を合理化し、あるいはその美徳を称賛しているように見えるかもしれない。しかし私は、アドルノもレヴィナスもそのような称賛に関与しているわけではないと考えている。[19] むしろ彼らは、傷つけられた結果として生じる道徳的なジレンマとともに、傷の不可避性を受け容れているのだ。倫理は権力者の特権であると主張する人々について、またはそれに抗して、傷つけられた者の視点からでなければある種の責任の概念を理解することはできない、と反論する者がいるかもしれない。何が傷に応答することになるのか、また左翼の警告的な政治的スローガンの文句を使えば、私たちは「自分が非難している悪そのものになってしまう」のだろうか。アドルノが述べるように、もし「盲目の愛の最も内奥には、決して盲目であるまいとする要求がひそんでいる」のであれば、盲目の愛とは、魅了の優越に相当し、またそもそも、私たちが最初から完全には主題化しえず、反省に服しえず、認識もしえないような関係性の様態に巻き込まれている、という事実に相当すると思われるかもしれない。定義上盲目であるこの関係性の様態は、私たちを背信や過失に対して脆弱にする。私たちは完全な洞察力を持った存在でありたいと望むこともできる。しかしそうすれば、幼児期、依存、関係性、原初の刻印可能性を否認することになる。それは、私たちの心理形成を動的に構造化するあらゆる痕跡を抹消し、すべてを知った、冷静な成人のふりをして暮らそうと望むことであろう。確かに私たちは、定義上、愛に陥ることも、盲目になることも、盲目にされることもなく、蹂躙に対して脆弱でもない、魅惑に屈しない存在なのかもしれない。もし私たちが、自分たちにはそのように扱われない「権利」があると主張することで傷に応答すべきだとすれば、他者の愛を贈与というより、権利として扱うことになるだろう。贈与であること、それは無償であるという打ち勝ちがたい資質を持っている。アドルノの言葉を使えば、それは自由から与えられた贈与なのである。

しかし、なしうる選択は、契約か自由かのいずれかだろうか。あるいは、どんな契約も愛を保証することができないように、愛は根源的に自由な意味で与えられるものだと結論づけるのもまた間違いなのだろうか。実際、愛の核心にある不自由は、契約に属するものではない。結局のところ、他者への愛は必然的に、そうと知りつつも人を盲目にさせるものである。私たちが愛において強要されているということは、ある意味で、なぜそのように愛するのか、なぜ決まって間違った判断を下してしまうのかを私たちがそれほど理解していない、ということだ。非常に多くの場合、私たちが「愛」と呼ぶものは、私たち自身の不透明性、無知の場所、さらには私たち自身の傷による強要を伴っている(例えばメラニー・クラインは、こうした理由から、償いという幻想が愛を構造化していると主張するだろう)。

しかしながら、上記の一節でアドルノは、ある者が拒絶されない権利を主張するよう強いられつつ、同時にその主張に抵抗するという動きをたどっている。これを身動きの取れない矛盾だと解釈することもできるが、私は彼がそのように示唆しているとは思わない。むしろそれは、倫理の行為そのものである両義的な身振りを伴いながら、その主張の牽引力を理解しつつ、同時にその牽引力に抵抗する、という倫理的包容力のモデルではないだろうか。人は自分自身を他者の有害さから守ろうとするが、たとえ壁を作って自分自身をうまく傷から守ったとしても、その人は非人間的なものになってしまうだろう。このような意味で、「自己保存」を人間的なものの本質であると見なすなら——もしそこから「非人間的なもの」が人間的なものを構成していると主張するのでなければ——私たちは誤っているのである。倫理の基盤として自己保存を主張する際の問題点の一つは、それが、道徳的ナルシシズムの一形式とまではいかないまでも、純然たる自己の倫理になってしまうことだ。人は、こうした傷に抗する権利を主張したいという願望と、その主張に抵抗することとの間の揺らぎに執着しながら、「人間になる」のである。

おわかりのように、「人間になること」は決して単純な課題ではなく、それがいつ達成されるのか、あるいは本当に達成されるのかどうかさえ常に明らかではない。人間になることは、解決不可能なジレンマに身を置くことのようにも思われる。実際アドルノは、私たちにとって人間的なものを定義することはできない、と明確に主張している。もし人間的なものが定義できるような何かであるとすれば、それは二重の運動であるように思われる。一つは、私たちが道徳的規範を主張すること、もう一つは、私たちがそう主張する手段としての権威を問いただすことである。道徳性についての講義の最終回で、アドルノは「規範、自己批判、真偽への問いと同時に、この種の自己批判を自信たっぷりに行う法廷の可謬性［Fehlbarkeit］への批判も手放してはならない」[20]と述べている。すぐ後の記述では、彼は道徳性について述べているように思われるが、同時に人間的なものの意味についても明らかにしている。

ここでヒューマニティという表現を使うのは気が進みません。というのも、この表現は口にするだけで既に、問われている最も重要な事柄が、単純化され、従って偽造されてしまうような表現の一つだからです。ヒューマニスト連盟の創設者たちに、連盟に加入するよう求められたとき、私はこう答えました。「皆さんのクラブが、非人間的連盟（インヒューマン）という名前ならひょっとしたら加入させていただくかもしれません。しかし自らヒューマニストと名乗るクラブには加入できかねます」と。ここでヒューマニティという表現を使わなければならないとすれば、自省するヒューマニティに欠くことができないのは、まず自説を曲げないということです。それはつまり、他人の意見に惑わされない［Unbeirrbarkeit］という契機、いったん経験から学んだと確信したことに飽くまでこだわるという契機のことです。他方で、単に自己批判のみならず、私たちの内部で始まる硬直、頑なものに対する［an jenem Starren und Unerbittlichen］批判という契機も欠かすことはできません。従って、とりわけそれに欠くことができないのは、自分の可謬性についての自覚なのです[21]。

このように、私たちの中には何か揺るぎないものが根づいており、それは私たちの中に居座り、私たちの知らないものを構成し、私たちを可謬的な存在にしている。他方で、実際にはあらゆる人間が自分の可謬性と闘わねばならないのだ、と言うこともできるだろう。しかしアドルノは、この可謬性に関する何かが、人間的なものについて語ったり人間的なものを主張したりすることを困難にするのであり、それはむしろ「非人間的なもの」と理解されるのではないか、と示唆しているようである。その数行後で、彼は「真の不正は本来常に、自分を盲目的に正義の側に、他者を不正の側に置くまさしくその点にある」[22]と述べているが、そのとき彼は、道徳性は自己断定を慎むことであると提起しつつハイデガーの決意性［Entschlossenheit］に反論しながら、道徳性を自制の側、「参与しない」側に位置づけている。カフカのオドラデクは、初期ハイデガーへのこうした反論を形象化したものである。[23]この「生き物」あるいは「もの」――それは糸巻きのようにも見えるが、語り手の息子であるようにも思え、二つの尖った部分でかろうじてバランスを取り、永久に階段から転がり落ち続ける――は、確かに非人間化された存在の形象である。それは奇妙にもこの非人間化によって生命を与えられており、その笑い声は「落ち葉がかさこそと鳴るよう」であり、その人間としての地位は徹底して不明瞭である。アドルノはこのカフカ的主人公を、人が物に変わり、物が不気味な方法で生命を得た、ある種の商品の物神崇拝（フェティシズム）によって条件づけられたものと考えている。実際、アドルノから見れば、オドラデクは初期ハイデガーの理論を倒立させたものであり、またこのようにオドラデクが、人間的なものを定義する意志あるいは決意性という概念そのものを放棄する身ぶりを形象化している限りにおいて、それはマルクスがヘーゲルに対して行ったことをそっくり真似ているのである。

　初期実存主義の公式において、人間的なものが自己定義し自己断定するものと定義されているとすれば、そのとき事実上、自制は人間的なものを脱構成することになる。アドルノにとって、自己断定は自己保存の原理と結びついており、彼はレヴィナスと同じように、この原理が究極の道徳的価値であることに異議を申し立てている。結局のところ、もし自己断定が世界への、「行為の」結果への、さらには他者への配慮を犠牲にして断固として自己を主張することになるなら、それは「道徳的ナルシシズム」を助長することになる。そして、そうしたナルシシズムの快楽は、行為を条件づけ、行為に触発されるような具体的世界を超越する能力に存するのである。

　アドルノは、自分は「非人間的」集団と自己定義する協会になら加入してもよいかもしれないと述べ、また、生存と希望の概念を示すためにオドラデクという非人間的形象に注意を促しているが、最終的には、彼は非人間的なものを理想として擁護しているわけではない。非人間的なものは、むしろその下で人間的なものが構成され、また脱構成されるところの社会的条件を分析する、批判的な出発点を打ち立てているのである。アドルノが示しているのは、カフカにおいて、非人間的なものが現在の「人間」社会の組織を生き延びる方法になっており、大きく荒廃させられてしまったものが力強く生き続けている、ということである。このような意味で、「非人間的なもの」は、人間的なものの内在的批判を促すのであり、また、それを経て人間的なものが生き続ける［fortleben］ような痕跡あるいは廃墟になるのである。「非人間的なもの」はまた、社会的諸力が私たちの中に居座る仕方を示してもおり、意志の自由という観点から私たち自身を定義することを不可能にしている。結果として「非人間的なもの」は、社会的世界が私たちを侵害し、私たち自身を常に理解できない状態に置く仕方を示しているのである。明らかに私たちは、道徳的生活を送りつつ前に進もうとするとき、「非人間的なもの」に対処しなければならないが、これは、アドルノにとって「非人間的なもの」が新しい規範になる、ということを意味しない。それどころか、彼は「非人間的なもの」を称賛してはいないし、それを究極的に告発することさえ求めているのである。アドルノは、彼が道徳的相対主義の偽りの問題と考えるものに抗して、次のように述べている。

絶対的善とは何か、絶対的規範とは何かを私たちは知りたいとは思いません。人間とは何か、人間的なもの［das Menschliche］とは何か、ヒューマニティ［die Humanität］とは何かすら知りたいとは思いません。しかし、非人間的なもの［das Unmenschliche］とは何か、私たちは実に詳しく知っています。道徳哲学の場は、今日では人間存在の漠然とした抽象的定位よりも、非人間的なものを具体的に告発するところに求められるべきだ、と言っておきましょう。[24]

このように、アドルノは非人間的なものの告発を求めている。しかしながら彼は、人間になるためにはまさしく非人間的なものが必要であることを明らかにしている。結局のところ、もし他者の拒絶に曝されることによって私たちが権利を断定することを強いられるとしたら――私たちはそうした権利を断定することを慎まねばならず、そうすることでこの断定の妥当性を疑問に付すのだが――、抑制と疑問が特徴であるこの後者の身振りにおいて、私たちは人間的なものの前提条件としての意志、断定、決意に関する批判を示すことによって、「非人間的なもの」を具現化しているのである。この意味で、「非人間的なもの」は人間的なものの反対ではなく、人間性の欠如において、またそれを通じて、私たちが人間になる本質的な手段になっている。ここで次のように結論づけてもよいかもしれない。アドルノはここで人間的なものについてのもう一つの見解を示しており、それは、意志の抑制が人間的なものを定義することになる、というものである、と。またアドルノにとって、人間的なものが意志によって定義され、世界によって侵害されることを拒むとき、それは人間的なものでなくなってしまう、とも言えるだろう。この意味で、非人間的なものを告発することは、同時に人間的なものについての一つの見解を告発することによってのみ行われるのかもしれない。確かに、ここで彼を理解する唯一の手段は、人間的なものについてのいかなる概念――人間的なものを意志によって定義するものであれ、あるいはその代わりに人間的なものからあらゆる意志を剝奪するものであれ――も維持しえないものである、ということを受け容れることだ。実際、アドルノにとって「非人間的なもの」とは、(可傷性を取り除かれた)純粋な意志の形象と、(欠如に還元された)意志なきものの形象との両方として現れている。もし彼が、意志を剝奪することで人間を服従させるものと理解される非人間化に抗しているとしても、それは、彼が意志によって人間を定義したいと望んでいるからではない。意志と、人間性を定義する規範とを同一視するような個人主義的な解決策は、個人を世界から切り離すだけでなく、世界への道徳的な関与のための土台を破壊するものなのである。ここでは、人間的なものを規定する条件として意志を擁護することなく、意志に対する暴力的侵害を非難することは難しくなってくる。実際、侵害は避けがたいものである。つまり私たちには、この根本的な条件に反対して断言しうる「権利」はない。同時に、一方で侵害の不可避な局面と克服不可能な局面を区別し、他方でその社会的な偶発的条件と可逆的条件を区別すれば、私たちは侵害の諸形式を裁定するための規範をまちがいなく考案しうるだろうし、またそうしなければならないのである。

非人間的なものという用語を自らの人間的なものの概念のために必要としているがゆえに、非人間的なものに対するアドルノ自身の「告発」は、それ自体両義的であることが明らかになる。彼はこの告発を必要とするとき、道徳的にまさしく何を非難すべきかを知っている者の立場を取っている。そして、「非人間的なもの」を非難するとき、彼はその非人間的なものを、自分が抗しているある種の脱人間化と関連づけている。しかしながら、明らかに彼が好む脱人間化の別の諸形式が存在する――とりわけそれが、意志の批判と、歴史的に構成された社会性の認識の批判を伴っている場合には。確かに告発は、ナルシシズム的行為とはいかないまでも、確信の倫理、つまり個人主義的倫理という特徴を持った意志的行為であると思われる。このようにアドルノは、告発という行為において、実際この立場が必ず何らかの形で占められることを示しながら、私たちに代わってこの立場を占めているのである。けれども告発とは、道徳性に関する彼の考察において、道徳的判断の唯一のモデルではない。実際、告発もまた、責任の倫理ではなく確信の倫理に属しており、前者こそが、道徳性についての講義で彼が追求する課題の特徴をなしている。

確信は、自己を道徳的判断の基盤、基準として捉えるような倫理に属していると思われる。マックス・ヴェーバーに倣うアドルノにとって、責任は、結果が問題となる社会的世界での行為を想定することに関わっている。[25] アドルノはカント哲学の特徴を道徳的ナルシシズムの一形式としているが、それはこの確信に基づいているようである。さらにアドルノは、結果主義を拒絶するあらゆる義務論的な立場はナルシシズムへと移行する危険があり、この意味で、個人主義の社会的組織化を承認する危険がある、と示唆してもいる。「抽象的な理性という理想」を支持するカント哲学の見解に従うなら、過ちを犯し、盲目になり、人を盲目にし、「人生をかけた嘘」をつく能力は、人間的なものの概念から外れるものである。アドルノによるこのカント哲学のモデルに従えば、正しくあることは、「自分自身と同一であること」という命令に従うことを意味している。「そして、この自己同一性において、つまり敢えて言えば、道徳的要求をこのようにひたすら自己自身であれという要求に還元することのうちに、人はいかにあるべきかという規定的内容は一切消失し始める。結局、この倫理に従えば、正しい悪党でありさえすれば、つまり自意識を持った包み隠しのない悪党［Schurke］であれば、人は正しい人間になることができることになる」[26]。

確かにアドルノは、イプセンとともに、道徳的純粋さの諸形式はしばしば「隠されたエゴイズム」によって助長される、と主張するとき、この点をより強調している。アドルノは、カントもまた同じである、と論じている。

［カントもまた］、私たちが自分では純粋な動機、つまり定言命令という動機であると思いこんでいる［die des kategorischen Imperativs vorspiegeln］動機が、実際には経験に由来し、最終審級においては私たちの欲求能力、従ってここでは、言わば私たちの道徳的ナルシシズムの充足と実は関わりがあるということに大変鋭い目を持っていました。いわゆる純粋意志［die sogenannte reinen Willens］に従ってあらゆる機会にこの純粋意志を引き合いに出すような人間への、ある種の注意が示されている、と一般には言ってもいいでしょうし、これは間違いなくこの批判の正当なところです。いわゆる純粋意志は、ほとんど常に告発癖、他人を処罰し迫害したいという欲求、つまり全体主義国家における様々なタイプの粛清作業［Reinigungsaktionen］から皆さんが容易に思い浮かべるような問題すべてと密接な関わりがある、と言ってもよいでしょう[27]。

アドルノは、道徳的純粋さと道徳的ナルシシズムの間で、また確信の倫理と迫害の政治の間で生じる弁証法的反転を示そうとしている。つまり、彼の概念装置は常に、これらの関係が取る論理形式が二項的で正反対のものであり、否定弁証法に属するものであることを前提としているのである。このような分析様式は、社会関係が矛盾によって構造化されており、抽象的原理と実践的行為の間の相違が歴史的な時間を構成している、ということを私たちが認める限りにおいて機能する。

アドルノが私たちに示したいくつかの事柄は、ある興味深く重要な仕方で、後期フーコーに現れる倫理の問題に接近する。フーコーの主張はアドルノと同様に、倫理は批判の過程という観点からのみ理解されるものであり、その過程において、批判はとりわけ存在論、特に主体の存在論に秩序を与える理解可能性の体制に関わる、というものだ。フーコーが「現在の存在の体制において、私は何でありうるか」と問うとき、彼は主体形成の可能性を、歴史的に制度化され、強制効果を通じて維持される存在論的秩序の中に位置づけている。既存の歴史的存在論の中では、自由なもの、あるいは自由でないものと見なされた私の意志に対する、私自身の純粋で無媒介な関係——私の自己の構造や自己観察の様式から切り離された——は存在しえないのである。

アドルノは若干異なる主張をしているが、両者の立場は互いに共鳴しあっているのではないかと私は考えている。アドルノの主張は、行動を統御する原理を抽象的な仕方で参照し、その原理が承認したどんな行為の結果も参照しないとすれば、それには意味がない、というものだ。私たちの責任は、単に私たちの魂の純粋さのためではなく、人々が集団で暮らす世界を形成するためのものである。つまりその意味は、行為は結果として理解されるべきである、ということだ。倫理は批判を生み出す、あるいはむしろ、倫理は批判なしで進むことはできない、と言ってもよいだろう。なぜなら私たちは、自分たちの行動がどのようにして既に構成された社会的世界に取り込まれているか、また、私たちのある種の行為の仕方からどのような結果が引き起こされているか、という点を知るようにしなければならないからである。考察は一連の具体的な歴史的状況と関わりつつ行われるのだが、しかしより重要なことは、それが現代の社会的地平の中で行動を統制するパターン化された方法を理解することと関わりつつ行われる、ということである。

フーコーは、心的なもの——内的で唯一のものと見なされる——へと主体を際限なく自己非難的に専心させるような倫理形式に異議を唱えるが、同じようにアドルノも、倫理が道徳的ナルシシズムへと移行していくことに反対している。両者は異なるやり方で、主体を倫理にとっての問題として配置し直すために、倫理の基盤としての主体を除去しようとしているのである。いずれにせよ、これは主体の死ではなく、主体を設立し維持する様式についての探究なのであって、つまり、主体はどのように自らを設立し維持するのか、また倫理的原理を支配する規範は、行為を導くだけでなく、人間主体とは誰であり何であるのかという問いを解決する機能としてどのように理解されるべきなのか、という問題の探究なのである。

アドルノが、私たちは非人間的なものになることによってのみ人間になる可能性に到達できる、と語るとき、彼が強調しているのは、道徳的考察の核心にある方向感覚の喪失である。つまり、自分の進路を地図にしようとする「私」は、自分の読む地図を作っていなかったのであり、その地図を読むのに必要などんな言語も持っておらず、また地図そのものを見出せないことさえある、といった事実を強調しているのだ。世界が［「私」に］拮抗するイメージとして、つまり認識論的距離において認知され、処理される外在性として出現したときにのみ、「私」は考察の主体として現れる。これが意味するのは、歴史的な何かが、まさしくこの分岐とそれに応じた道徳的考察そのものの可能性を図らずも生み出してきた、ということだ。それはまた、そもそも私たちの考察を可能にする条件をある程度理解できるようにならない限り、その考察には何の意味もない、ということを示してもいる。

アドルノにとって、他性との認識論的、倫理的出会いのこうした可能性を生み出す分岐や分裂が常に存在するのに対して、フーコーにとって、既存の存在論的体制は、二項対立的思考によって私たちがその内側に拘束されたままになるような限界を設けるものである。アドルノにとってのカントは、その行為の帰結から分岐するような抽象的理性の文化を代表しており、フーコーにとってのカントは、私が何を知りうるか、私がいかに行為しうるかを条件づけるものは何か、と問うことによって、批判の可能性の到来を告げるものである。アドルノにとってのカントは、人間的なものの定義からまさしくその錯誤、その結果を予め排除する（フォアクローズ）ような、人間的なものの狭い概念を提示している。フーコーにとって、カントの抽象化は「自己への配慮」からは程遠いものの、カントは、私たちの知には限界があると強調する限りで、ある種の盲目性や錯誤が知のプロジェクトを悩ませていることを初めから認めているように思われる。アドルノは、人間的なものを構成している錯誤を認めていないとカントを咎め、フーコーは、カントがまさしくそのことを把握しているとカントを称賛するが、双方とも、人間的なものを可謬性において考える必要がある点については意見が一致している。もし私たちが倫理的に行為すべきだとすれば、アドルノ、フーコーのいずれに従うにせよ、私たちは自らの存在を構成している誤謬を率直に認めなければならない。これは、私たちが単なる誤謬であるとか、私たちの発言がすべて逸脱し誤っているといった意味ではない。むしろそれは、私たちの行動を条件づけるのは、私たちが十分に説明できない構成的な限界であり、逆説的にも、この条件こそが私たちの説明可能性

の基礎をなしている、という意味なのである

自分自身を批判的に説明するフーコー

恐らく私と同じように、少なからぬ人が顔を持たないために書いている。私が誰かと問わないでほしい。また、同じであり続けよと言わないでほしい。

——ミシェル・フーコー『知の考古学』

インタビュー「理性は真理を語るためにいかなる対価を要するのか」[28]において、フーコーは自分を説明するよう求められている。彼の答えは簡単なものではない。彼は幾度もやり直し、様々な影響を指摘するのだが、自分がなぜいまあるように考え、行動するようになったのかを説明するいかなる因果的説明も示さない。インタビューの冒頭で、フーコーは自分の理論の政治的含意を解釈しようとしている。政治が理論から直接生じることはない、という点を彼はよく知っている。例えば彼は、言語の形式主義と反権威主義的な政治との間に関係があることを示しているが、一方が他方を導くとは述べていない。彼の説明は、原因を特定し、結果を作り出すといったものではない。重要なのは、これが対談であり、彼が相手の推測に反応し、その反応において自分の立場を明確にしている点を理解することである。ある意味で、彼自身についての説明は、これらの質問をするこの人物に対してなされた説明なのである。説明は、それがなされる対話の場面の外では理解できない。彼は自分自身について真実を語っているのだろうか、それとも、対話相手が課してくる要求に応答しているのだろうか。真理を語るという彼自身の実践を、後に彼が作り出す、真理を語ることの理論によっていかに照らし出せばよいのだろうか。

フーコーは、晩年に告白の問題へと立ち戻り、[29]『性の歴史』第一巻［『知への意志』］における自らの批判を覆している。『性の歴史』第一巻で彼は、告白とは性の真理を強制的に引き出すものであり、自分の欲望について真理を述べることを強いられたものとして主体を作り出す、統制的権力に奉仕する実践だと批判している。一九八〇年代初めに彼が行った、告白の実践についての考察の中で、彼は以前の立場を修正し、告白は自己を「明示すること」を強いるが、その自己は何らかの内的真理と想定されるものに対応する必要はなく、自己を構成する外観は単なる幻想と解釈されるべきではない、ということを見出している。それどころか、テルトゥリアヌスとカッシアヌスについての講義では、フーコーは告白を発話行為として、つまり主体が「自分自身を公にし」、自分自身を言語において示し、自己を他者へと現れさせる方法としての自己言語化——公的告白［exomologesis］——というより広範な行為に関与する発話行為として読解している。この文脈において告白は、自分自身を構成するためには自己が現れねばならず、自己は自分自身を呼びかけの光景の中でのみ、ある社会的に構成された関係の中でのみ構成しうる、ということを前提としている。告白とは、自己の自己表明の言語的、身体的光景になっているのである。自己は自分自身を語るのだが、それは語りの中で、いまあるようなものになっていく。そのときこの文脈において、自己吟味は自らを外化し、公にするような実践であり、告白を自己吟味の暴力、統制的言説の暴力的な押しつけと同一視する理論——初期フーコーの理論も含む——から離れたところにある。さらに告白は、自己をそれが失った均衡へと回帰させることはない。それは、告白という行為そのものを基礎として、魂を再構成するのである。罪人は、出来事に見合った説明を行う必要はなく、罪人として自分を明らかにするだけでよい。こうして、既存の公的慣習の中で主体を行為遂行的(パフォーマティヴ)に生産することは、告白する主体にとって必要であり、告白そのものの目的をなしている。

フーコーが主張するように、「近代的自己の系譜学は、〔……〕主体に関する伝統的哲学を追放するための、ありうる手段の一つ」[30]なのであり、従って彼は告白へと立ち戻り、それが行う自己の明示において、またそれを通じて、主体がいかに自らを放棄しなければならないかを示そうとする。この弁証法的反転はこの意味で、自己の明示は内面性を溶解させ、それを外面性へと再構成するのである。この弁証法的反転はアドルノ的なものであり、また疑いなくヘーゲル的響きを帯びている。フーコーは、ある個人が盗みを告白するという具体的な告白を取り上げ、次のように述べている。「決定的要素は、師が真理を知っているということではありません。若き修道士が自分の行為を打ち明け、盗品を返すということでさえありません。告白が、告白という発話行為こそが決定的要素なのであり、それが最後にやってきて、ある意味で告白そのものの仕組みによって、起きたことの真理、現実を明らかにするのです。告白という発話行為は真理の証明であり、真理の明示なのです」[31]。ある意味で盗みとは、それが告白という行為を通じて明らかになるまでは盗みとして認められておらず、事実として社会的に構成されていない。同じ講義のさらに先の部分で、フーコーは、告白する人物は内的自己の代わりに自己の明示を用いなければならないと説明している。その意味で、明示は自己を「表現する」のではなく、自己の代わりをするのであり、個人的自己を外的な現れへと反転させることによって自己の代わりをするのである。フーコーは明示そのものを、次の定式に従って生の変化を構成するような犠牲行為と考えるべきだと結論づけている。その定式とは、「あなたが真理を明示する主体になるのは、あなたが消えるか、現実の身体、現実の存在としてのあなた自身を消し去るときであり、そのときのみである」[32]というものである。

　こうした告白のモデルにおいて、自己吟味は、自己非難、あるいはさらに、統制的規範の内面化といったものではなく、公にされた外観へと身を委ねる一つの方法になっている。しかしここでさえ、予め構成された自己は顕わになっていない。むしろ、まさしく自己構成という実践が演じられているのである。事実、反省性という様態は社会的、倫理的実践として様式化され、維持されている。こうしてフーコーは、倫理に関する省察を、疚しい良心の問題の彼岸へと移動させているのであり、意識形成に関するフロイト的説明もニーチェ的説明も、倫理の概念化には十分でない、と示唆している。さらに彼は、自己に対する関係は社会的で公的な関係であり、反省的関係を統制する規範――つまり、人はいかにして現れることができ、現れなければならないのか、また、人は自分自身へのいかなる関係を明示するべきなのか――の文脈の中に避けがたく維持されるものだ、と力説している。

　主体についてのこうした現代的再考の結果は、決して的外れなものではない。もし私が「私自身にとって私とは誰なのか」と問うなら、また「私が生きている言説の体制の中に、「私」にとってどのような場があるのか」、「私が関与しうるものとして、自己を注視するどんな様態が確立されたのか」とも問わなければならない。私は主体形成の既定の形式にも、あるいはさらに、私自身と関係を結ぶための既定の慣習にも束縛されていないが、これらのありうる関係それぞれの社会性には束縛されている。私は、理解可能性を危険に曝し、慣習に挑戦することはできるかもしれないが、そのとき、ある社会–歴史的地平の中で、またはそれに基づいて行為し、それを破綻、あるいは変容させようとしている。しかし、私がこの自己になるのは脱自的運動、つまり私を私自身の外の、私が私自身を剥奪され、同時に私が主体として構成されるような場へと移動させる動きを通じてのみである。

フーコーはインタビュー「理性は真理を語るためにいかなる対価を要するのか」において、とりわけ主体を問題にする近代的な方法について問い、それを主体の問題に達する彼自身の過程と結びつけている。彼は、現存するどんな理論も自分が問いを立てる方法を説明してくれないと知っている。それは、現存するどんな理論も彼の問いに答えを示してくれない——むろん疑いなくそうなのだが——という意味ではない。むしろ問題なのは、現存するどんな理論も彼が示したい問いを明確に定式化する言葉を持っていない、ということなのである。

フーコーの問いは、「現象学的で超歴史的なタイプの主体［＝主観］を、理性の歴史性によって説明することはできるか」[33]というものだ。この問いには、「超歴史的主体」と呼ばれる何かによって説明される概念が暗黙に含まれている。このことは既に、超歴史的主体がすべての経験と知識を説明しており、それは知の基盤である、という現象学的テーゼを拒絶している。フーコーは、この「基盤」を何が説明するのかと問いつつ、この基盤はいかなる基盤でもなく、ある歴史的過程が生じた後に初めて基盤として現れる、と暗黙のうちに論じているのである。

しかし、フーコーはもう一つ別のことを主張しており、それは歴史主義を新たな方法へと関与させるものである。彼は超歴史的主体の出現を説明しうる理性の歴史が存在するかどうかを問うているのである。この意味で彼は、理性の歴史と呼びうる何かが存在する、と示唆すると同時に、理性は歴史の外部に存在し、特定の歴史的形式を持たない、という主張を退けている。現象学の内部にはフーコー的意味での理性の歴史は存在しうるのだろうか。（彼の名誉のために言えば、フッサールは『ヨーロッパ諸学の危機』においてそうした方向へと移行するのだが、フーコーはここでこのテクストを考慮していない。）

フーコーは、主体の歴史と理性の歴史が存在すると主張するとき、理性の歴史は主体からは導かれないとも主張している。しかし彼は、ある種の主体形成は理性の歴史を通じて説明されうると主張している。主体が歴史を持つという事実によって、主体から、理性の歴史が存在するための基礎づけ行為が剝奪される。しかし、主体が持つ歴史とは、理性がある形式を取った歴史であり、ある条件、限界を備えたものとして合理性が確立され、設定された歴史である。従って、例えばフーコーが、主体は自分自身と他者をある特定の真理の体制の内部でのみ認識することができる、と主張するとき、[34]彼はこれらの合理性の形式の一つを指し示している。私たちは、ある合理性の形式の内部でのみ主体は――ある仕方で――存在しうることを理解することができる。そしてフーコーが、超歴史的主体はいかにして存在するようになるのか、と問うとき、彼は暗黙のうちに超歴史的主体の可能性を論駁している。というのも、この問いは主体が歴史的かつ可変的に作られたものであることを明らかにしているからだ。ただし、彼はこの「超歴史的主体という」概念に敬意を払ってもいる。というのも、この概念が存在するようになり、私たちに要求を突きつけるようになるのは、まさしくこの概念が、歴史的に形成された合理性の様態の中で、つまり彼がここで現象学と結びつけている様態の中で意味を持つようになるからだ。

インタビュアーは、ニーチェへの転回が現象学に対するフーコーの不満の徴しであったかどうか

――とりわけ、ニーチェが「主体の基礎づけ行為と手を切る［pour couper court à l'acte fondateur du sujet］」[35]手段を与えたかどうか――を知りたがっている。また彼は、フーコーがそのとき主体の理論を明示したいと望んでいたかどうかを知りたがってもいる。その場合の主体の理論とは、主体に自分自身の経験を基礎づけるための偉大で圧倒的な力を与えるものではなく、逆に、主体は常に限界づけられており、常に自分自身とは異なった何か――歴史、無意識、一連の構造、理性の歴史のような――によっても作られており、それは主体による自己の基礎づけ要求が偽りであることを明らかにする、という点を理解するような理論である。

興味深いことにフーコーは、なぜニーチェを読むのかを説明しようとしてわからないと述べるとき、まさにこのわからないという告白によって、主体が自分自身の出現の根拠を完全には与えることができないことを示している。そのとき、フーコーが行う自分自身についての説明は、自分に対して、自分の中で作用した理由のすべてを彼が知っているわけではないことを明らかにしているのである。なぜニーチェを読むのか答えようとして、フーコーは他の人々が――バタイユとブランショが――ニーチェを読んでいたと説明する。しかし、これがなぜ理由になるのか――つまり、彼がニーチェを読むのは時流に遅れないためなのか、あるいは彼が影響を受けたからなのか――を彼は述べていない。彼は他の人々ゆえにニーチェを読む。しかし、これがどんな説明になっているのか私たちにはわからない。彼が他者へと振り向くよう仕向けたものの中に、彼は何を読んだのだろうか。

彼は自分自身を説明しているのであり、どのようにして彼と他の人々が、主体の「一種の基礎づけ行為［une sorte d'acte fondateur］」[36]――つまり、その意識的行為を通じて意味付与を行う主体――に力を注いでいた現象学から離れていったかを説明している。こうして彼は、自分自身を極めて明白に、主体を基礎づける者ではなく、歴史を持った主体、つまり基礎づけ行為――理性の歴史はそこから出現する――を構成する資格を奪われた主体だと説明しているのである。自分をこのように説明することで、彼は現象学的主体概念の諸限界を私たちに示している。

他の場合と同じようにここでも、フーコーの提示する問いは、主体を説明する従来の方法の限界を明らかにしている。彼は例えば、一九世紀に、理性の歴史が自律の基礎を確立した後、「啓蒙とは何か」という問いが出現すると主張する。結果として、これは別の問いを提起している。つまり、「理性の歴史が意味するものは何か、近代世界における理性の支配にどのような価値を与えるべきなのか」[37]という問いである。

それゆえ、まさしく「啓蒙とは何か」という問いこそが、理性の領域に「動揺をもたらす問い」を導入する――たとえそれが私たちを、理性の中心性とその批判的機能、自律とその基礎づけ的地位に立ち戻らせるものだったとしても。この動揺をもたらす問いの、十分ではないが最初の形は、学者たちが実際に「科学史とは何か」と問うたときに生じた。科学が一つの歴史を容認することは、科学はその合理性において超歴史的な真理を持っている、と主張する人々にとってスキャンダラスな主張であった。ドイツでは、理性の歴史――それは恐らく、科学史についての問いを通じて近代的な形式で導入された概念である――は、合理性の諸形式の歴史へと変化した。こうした状況において、フーコーは自分とフランクフルト学派の類似性を主張し、それとの出会いが遅かったことにある種の後悔の念を抱いている。「もし私がフランクフルト学派を知っていたら、もし私がそれを適切な時期に知っていたら、多くの仕事を省くことができたでしょうし、多くの愚かな発言をしなくてもすんだでしょうし、地道に自分の道を進もうとして多くの回り道をすることもなかったでしょう。道は既にフランクフルト学派によって開かれていたのですから」[38]。

すべての理性批判を理性そのものの否定と同一視しようとする、あるいは理性批判を非合理主義の一形式として懲罰するよう脅すいわゆる恐喝［chantage］という形式に対して、フーコーは一貫して反対してきた。真理のあらゆる体制はこの種の恐喝を援用するのであり、このことは、恐喝がいかなる特定の体制にも属さず、多くの体制において機能することを意味している。これは、恐喝の働きそのものが、恐喝の考案された目的であるテーゼを裏切っているということだ。そのテーゼとは唯一の［真理の］体制があるというものだが、このテーゼが異なった諸体制と関係を持ちつつ反復されるということがその複数性を証明しているし、また唯一の真理の体制を認めさせようとする恐喝が存在することを明らかにしているため、この唯一の真理の体制は、それが反復されることによって、まったく唯一のものでないことが証明されるのである。

そこからフーコーは次のように述べている。「あらゆる理性批判、あるいは合理性の歴史についてのあらゆる批判的問いかけに対して極めて頻繁に行われる恐喝とは、理性を受け容れるか、あるいは非合理主義に陥るか、というものです」[39]。彼はまた、理性は単に分岐しているのであり、その分岐がアドルノにさえ批判の基礎を与えている、という［インタビュアーの］考えも受け容れようとはしない[40]。インタビュアーは、こうした反省性が可能であることを、技術理性と実践理性（あるいは道徳理性）とを区別することで表現しようとしている。

ある意味でフーコーは、単に二つの異なった側面を持つ唯一の理性が存在するという考えを退け、理性の唯一の分岐という概念を拒絶している。この点で、彼がアドルノともハーバーマスとも異なっていることを理解することができる。分岐した理性というこの考えは、合理性のある特定の様態に固有な、理性の歴史の一部として現れるものである。彼の考えでは、理性がいかにして技術的なものになるかを説明することと、人間、生命、自己がいかにしてある一定数のテクネーの対象になるかを説明することとは別の事柄である。前者の問いへの答えは後者の問いに答えを与えることはできない。この意味で、理性の歴史（合理性の諸様態）と主体化の歴史の間には区別が存在する。あらゆる妥当な合理性概念は、それが助成し、生産する様々な種類の主体を説明しなければならないからだ。

理性が分岐すると言うことは、理性はかつて完全であったし、この自己分割以前には無傷であったと仮定することであり、また基礎づけ行為が、あるいは理性とその分岐を準備するある歴史的な「契機」が存在すると仮定することである。しかし、私たちはなぜこのように仮定しなければならないのだろうか。理性の歴史を説明し始めるために、理性の原形式、あるいはさらに、理想的形式が必要だからだろうか。もし合理性の諸形式を分析することに関心を持つなら、私たちは合理性の歴史的発現をその特殊性において捉えるしかないと思われるし、「だからといって、理性がその根本的企図を失ってしまうような契機を決定することはできませんし、合理性から非合理性へと移行する契機を特定することもできないのです」[41]。

理性そのものの模範的形式である合理性などといったものは存在しない。結果として私たちは、理性が存在した黄金時代や、私たちを非合理主義へと陥らせた一連の出来事もしくは歴史的転換について語ることはできないのである。フーコーは、これこそ自分が免れようとした第二のモデルだと述べている。しかし、それは第一のモデルと密接な関係を持つように思われる。「合理性の諸形式が崩壊し、消失しつつあるなどと、いかなる理由で述べることができるのか私にはわかりません。無数の変容があるのはわかりますが、この変容をなぜ理性の崩壊［effondrement］と呼ぶのかはわかりません」[42]。

フーコーは、合理性の諸形式に関心を向けると同時に、人間主体がこうした諸形式を自らに適用する方法にも関心を向け、主体のある種の反省性、その反省性が取る固有の形式についての問いを開き、またいかにしてそれが歴史的に特有な合理性の様式の働きによって可能になるのかという問いを開いたのである。

彼が問いを立てる仕方は次のようなものだ。「人間主体が自分を可能な知の対象として与える、ということがいかにして生じるのか。それはどのような合理性の諸形式を通じて、どのような歴史的条件を通じて、そして結局のところいかなる対価を払ってなのか」[43]。このような問いの立て方によって彼の方法論は成立している。つまり、主体の反省的行為が存在しており、この行為は、それが従おうとする、あるいは少なくとも交渉しようとする合理性そのものによって生み出されるのである。この合理性の形式は他の形式を予め排除（フォアクローズ）するだろう。従って、人は歴史的に条件づけられた所与の合理性の限界内でのみ自分を理解できるようになるのであり、歴史の中にかつて存在した、あるいはこれから存在するであろう他の方法を留保し、考慮しないままにするのである。

私たちはここで、フーコーの仕事に二つの別々の展開を見ることができる。第一に、ここで機能している主体概念、とりわけ反省的主体の出現は、『性の歴史』第一巻で述べられた見解とはまぎれもなく異なっている。第二に、フーコーは［主体の］言説的構築の理論を変化させている。主体とは前もって存在する合理性の形式の単なる効果、あるいは関数ではないし、反省性がその唯一の構造をなすわけでもない。さらに、主体がそれ自身にとって対象になるとき、それは自分自身の持つ何かを取り逃してしまう。このような閉塞が、反省性の過程を構成するのである。

ここでほんの少しの間、フーコーは精神分析とあるテーゼを共有している。主体が自分自身を可能な認識対象とするとき、何かが犠牲にされ、失われ、あるいは少なくとも消費され、放棄されるのである。主体は、ある認識手段を通じて何が失われたのかを「知る」ことはできないが、思考の批判的機能を行使することによって、何が失われたのかという問いを開示することはできる。こうしてフーコーは次のような問いを提示する。「主体は、自分自身について真理を語りうるために、いかなる対価を要するのか」。ある意味で、この問いは以前に述べられていたことから飛躍している。しかし、ここで起こっていることを考察してみよう。人間主体は自分自身に合理性の諸形式を適用するが、この諸形式の自己への適用は相応の対価を伴う。主体に何かを強要する、この自己への適用の性質とは何だろうか。そこで何が強要されるのだろうか。そこで何が消費されるのだろうか。フーコーは、ここで理性が消滅するとは述べないだろうが、構築主義の自己満足的形式からも距離を取っている。彼が明らかにしているのは、私たちは単に言説の効果ではないが、あらゆる言説、あらゆる理解可能性の体制は、対価を伴って私たちを構成する、ということだ。自分自身について熟考する私たちの能力、私たち自身について真理を述べる能力はそれぞれ、言説、［真理の］体制が言語化可能にすることを許さないものによって制限されているのである。

結果として、フーコーが自分自身について、彼がずっとどんなことを考えていて、彼は最終的には何ものであるかを明らかにする断固とした説明を始めるとき、私たちにはそれに用心深くある理由がある。次のものはそうした偉大な声明の一つである。「私の問題は、自己の自己に対する関係と、真理を述べることとの関係です」[44]。私たちはこれまで、権力、セクシュアリティ、身体、欲望について彼から多くのことを聞いてきたが、彼はいまや、自らの過去全体に遡及的に自己修正をほどこす瞬間にいるかのように、次のように述べるのである。「私の問題は絶えず、真理であり、真理を述べること［le dire vrai, wahr-sagen］であり、真理を述べることと反省性との、つまり自己の自己に対する［de soi sur soi］反省性の諸形式との関係だったのです」[45]。これは、私たちが自分自身を理解可能なものにする手段であり、自分自身を知り、自分自身を他者に提示する手段である合理性の諸形式は、歴史的に、対価を伴って確立されたものである、という意味だと思われる。もし合理性の諸形式が自然なもの、当然のものとされ、基礎をなす、必要不可欠なものと見なされるなら、またもしそれらが、私たちがそれに従って生き、生きなければならない制限になるのだとすれば、そのとき私たちの生そのものは、これら諸形式の歴史性の否定に、私たちが払わねばならない対価の否認に依拠してしまうのである。

フーコーにおいては、自分自身について真実を語るために払う対価が存在するように思われるが、それはまさしく、真理を構成するものが規範によって、また歴史的に出現した、ある意味で偶然的な一定の合理性の形式によって枠組みを与えられているからだ。真理を語る限りにおいて、私たちは真理の基準に従っているのであり、私たちを拘束するものとしての真理を受け容れているのである。この真理を拘束的なものとして受け容れることは、人がその中で生きている合理性の形式を、根源的な、もしくは疑問を差し挟む余地のないものとして引き受けることである。従って、自分自身について真理を述べることは対価を伴うのであり、そのような語りの対価とは、自分が生きている真理の体制への批判的な関係を中断することである。これが意味するのは、フーコーが自分自身について真理を述べるとき――つまり、真理を述べることは常に彼の関心事であったし、彼は自己の反省性について常に関心を払っていたということだが――、私たちは彼が、主体が真理を述べる際の必要条件に従って、批判的能力を一時中断したかどうかを問わなければならない、ということだ。彼が、自分の思考の最重要部分は常に真理を述べることという問題そのものによって占められていた、と主張するとき、彼は真理を語っているかもしれないし、語っていないかもしれない。いずれにせよ彼は、真理を語ることがある種の問題であって、彼の思考にとって中心的なものであったことを認めている。彼が、私たちに示そうとする問題を否認することなく私たちに真理を語っているか、という問いを私たちは解決することができない。

真理への、反省性へのこの転回は権力についての考察より重要でもある、と彼が述べるとき、このような宣言はさらに混乱を誘うものとなる。一方で、彼は自分自身に歴史的連続性を確立している。他方で、彼は極めて明白に、現在についての記述は「常に一種の潜在的な裂け目に従ってなされねばならない」[46]と語っている。この裂け目は自由を開くものであり、可能な変容を創始し、自らの時代を条件づける限界を疑問に付し、その限界において自己を危険に曝すものだと述べられている。「裂け目」とは、所与の合理性様態の固定性を疑問に付すような批判行為の形だと思われるが、ここでフーコーは、自分が常に自己同一的であったように見せるような仕方で自分自身を語り始めている。

主体化が生じる手段をもたらすような合理性の諸形式について考察しつつ、彼は次のように述べている。「支配の過程で用いられるこれら合理性の諸形式は、それ自体として分析するに値するものでしょう。というのも、これら合理性の諸形式は、その他の権力の諸形式、例えば知［connaissance］や技術［technique］において用いられる権力の諸形式と疎遠ではない、と思われるからです」[47]。従って、これら合理性の諸形式は互いに疎遠なものではない。しかし、それらが互いに取る関係がどのようなものかを私たちは正確には知らない。彼は以前に、合理性は認識が生起しうる手段を統制することで主体化を生み出す、と述べている。ここで彼は知［connaissance］に言及しており、認識＝承認［reconnaissance］には言及していない。従って、前者を後者との関係において理解してよいのかどうかは明らかではない。恐らくこの点は、「主体と権力」の一節によって明確にすることができるだろう。そこで彼は、次のような権力の形式に言及している。つまり、「諸個人をカテゴリーに分類し、彼らを固有の個人性によって名指し、彼らをそのアイデンティティにつなぎとめ、彼らに真理の法――彼らが認識＝承認しなければならず、他者が彼らの中に認識＝承認しなければならない真理の法――を課する［……］権力の形式である。それは個人を主体へと変容させる権力の形式である」[48]。彼は『快楽の活用』［『性の歴史』第二巻］の第一章において、言説的実践の効力を、認識＝承認のカテゴリーを通じて、主体化＝服従化する規範へと結びつけている。そこで彼が提起するのは、「自分自身に注意を払い、自分を解読し、自分を認識＝承認し、自分を欲望の主体として認めるよう諸個人に促し、自然なものであれ堕落したものであれ、自分の存在の真理を欲望の中に見出すことができるようにしてくれるある種の関係を個々人の間で演じさせるような、諸々の実践を分析すること」[49]である。

これらそれぞれの場合、合理性の諸形式は言説的実践、あるいはフーコーが別の場所で示している主体化の諸形式に結びつけられる。もし一九八三年に彼の関心を引いた合理性の諸形式が、認識＝承認のような権力の別の諸形式と疎遠ではないとすれば、フーコーは認識＝承認が権力の一形式であると認めていることになる。たとえ彼が、それはここで記述している合理性の諸形式――理性の歴史の一部と解されたそれ――とは異なったものである、と主張するとしても。これらの様々な権力の形式がいかに互いに関係しあっているかを理解しようとするまさにそのとき、彼は、何らかの満足のいく仕方で権力の諸形式の共通点を同定するような、唯一の権力理論を作り出すことに対して私たちに警告を発しているのである。彼は自分自身の理論的実践を、例えば、「私は権力の理論を作っているのではありません［Je ne fais pas une théorie du pouvoir］」、あるいは、「だから私は決して権力の理論家ではありません。究極的には、権力は独立した問題として私の関心を引かないと言ってもいいでしょう［Je ne suis pas donc aucunement un théoricien du pouvoir. À la limite, je dirais que le pouvoir ne m'intéresse pas comme une question autonome］」[50]といった断定的な言い方で主張して説明している。ある意味で彼は正しい。もし権力の「理論」という言葉が、あたかも独立したものであるかのように、その具体的な働きから離れた完全に分析的な説明を意味するとすれば。彼は時々そのことを語っており、例えば「主体と権力」では次のように述べている。「「いかにして」によって分析を始めることは、権力といったものは存在しない、と示唆することである、と述べてもよいだろう」[51]。彼はいくつかの機会に、私たちは権力について「唯名論者」でなければならない、と忠告している。私たちは「権力とは何か」といった規格的な理論的問いかけを行うことはできない。私たちはただ、「権力はどのように作動するのか、あるいは、あれこれの行使において権力はいかなる形式を取るのか、そしてそれはどのように働くのか」としか問うことができないのである。

ここで何が、フーコーに自分自身についての真理を語ることを可能にし、またその語りとしての発話を強いているのだろうか。狂気についてフーコーは次のように述べている。「まさにある者たちが他の者たちに対して行使する支配のある様態を通じて、主体［＝患者］は他者として提示された自らの狂気について真理を述べようと企てることができたのです」[52]。彼が自分自身について行うことのできる説明が、他者やその言説による支配に負っているとき、ここではいかなる対価が支払われるのだろうか。彼が自分自身について語る真理は、支配についての真理を語ることができるのだろうか。あるいは倫理の領域は、権力の作用から独立して考察されるとき、常に権力の否認にかかわり、またその意味で隠蔽の形式に関わるのだろうか。いま自分は真理を語ることに関心がある、自分は常に真理を語ることに興味を持ってきた、というフーコーの強調を読解する一つの方法は、人は自分自身についての真理を語れという要求によってのみ権力の問題を問う、と理解することである。誰が私にこのことを尋ねているのだろうか。彼らは何を望んでいるのだろうか。私の返答はどんな言葉であれば満足のいくものになるのだろうか。この対話相手に対して私自身についての真理を述べたり述べなかったりすることの帰結はいかなるものだろうか。

もし権力の問題と、自分自身について真理を語れという要求が結びついているとすれば、自分自身について説明する必要は権力への振り向きを必要とする。従って私たちは、倫理的要求は政治的説明をもたらし、倫理はそれが批判的なものでないときには信頼性を喪失する、と言うこともできるだろう。それゆえフーコーは、真理を述べることを、権力がいかに作動するかについての説明に埋め込んでいるのである。「現に私がそうしているように、もし私が自分自身について「真理を述べる」とすれば、それは一部には、私に対して行使され、また私が他者に対して行使するいくらかの権力関係を通じて、自分を主体として構成しているということなのです」。[53]

彼はここで「真理を述べる」に引用符をつけて、[54]真理を述べることが見かけほど行為として真実であるかどうかを疑問に付している。もし真理を述べる際に、権力関係が私にのしかかってくるのであれば、また真理を語ることで、私が他者に権力の負荷をかけているのであれば、私は真理を述べるとき、単に真理を伝達しているのではない。私はまた、言説を用い、配分し、自分が権力の中継と複写の場所になることで、言説の中に権力を働かせているのである。私は話し、私の発言は自分が真理だと理解するものを伝える。しかし、私が話すことは一種の行いでもあって、それは権力の領野の中で生じる行為であり、また権力の行為を構成する行為でもある。

バークレーでの一九八三年講義において、フーコーは、パレーシア——率直に意見を述べること、または公衆の面前で真理を述べること——という古代ギリシアの概念との関係において、自分自身について真理を語るという実践を検討している。[55]英語とドイツ語で刊行されているこれらの講義は、[56]プラトンの対話編とセネカの試論『怒りについて』における、自分自身を説明するという実践を再検討したものである。この講義はある仕方で、私たちがここで検討してきたテーマへの最終的な解釈を与えてくれる。自己の反省性は他者によって引き起こされるのであり、従って、ある人の言説が他の人を自己反省へと導くのである。自己は単に、手元にある合理性の諸形式を通じて自己を検討し始めるのではない。これら合理性の諸形式は言説を通じて、呼びかけという形式でもたらされるのであり、誘発、一種の誘惑、外部からの負荷あるいは要求——それに対して人が譲歩するような——として到来するのである。

私の学生たちは、プラトンの対話編におけるソクラテスの対話相手の受動性に対して常に嫌悪感を示していた。フーコーは、この受動性の問題を再検討する方法を私たちに示してくれる。というのも説得は、他者の言葉に身を委ねることなしには不可能だからである。実際、相手の言葉に身を委ねる可能性なしに、他者を赦したり、［他者に］赦されたりすることはできない。こうして、フーコーはプラトンの対話編『ラケス』において発話を動かしている、身を委ねることについて次のように語っている。「聞き手はソクラテスのロゴスによって、自分自身を、自分がどんな仕方でいま日々を過ごしているのかを、またどんな仕方で過去の生活を生きてきたのかを「説明すること［didonai logon］」へと導かれていく」[57]。聞き手は導かれ、そして相手の導きに身を委ねてゆく。この受動性は、自分自身を説明するというある種の実践の条件となっており、相手の言葉、相手の要求に身を委ねることを通じてのみ自分を説明することが可能になることを示唆している。フーコーによれば、これは「ソクラテスの言説によって導かれている者が、自分の生について自伝的に説明するか、あるいは自分の過ちを告白しなければならない、という実践」[58]である。フーコーはただちに、この自分自身の説明は自己非難ではないと指摘する。

ここに含まれているのは告白的自伝ではありません。プラトンもしくはクセノフォンの描くソクラテスが、良心の吟味や罪の告白を求めるさまを私たちは見たことがありません。ここで、自分の生（ビオス）を説明することは、自分の人生に起こった歴史的出来事を語ることではなく、むしろ自分が用いることのできる理性的言説、つまりロゴスと、自分の生き方との間にある種の関係が存在していることを示せるかどうかを証明することなのです。ソクラテスは、その人物の生のスタイルにロゴスがどのように形を与えているかを問うているのです[59]。

もし人が自分自身を説明するために話すとすれば、そのときまた、自分が用いる発話そのものにおいて、人が生きる術であるロゴスを提示してもいる。問題は、発話と行為を一致させること――フーコーが強調するのはこの点なのだが――だけではない。問題はまた、話すことが既にある種の行い、ある種の行為であって、既に道徳的実践であり、一種の生であるような行為だと認めることでもある。さらにそのような行為は、社会的なやりとりを前提としている。キュニコス学派を考察しつつ、フーコーは二世紀のディオ・クリュソストムスのテクストにおけるアレクサンドロスとディオゲネスの争いを詳しく検討している。その中でディオゲネスは「会話の最初から最後まで、アレクサンドロスの権力に自らを曝しています。そして、権力とのこのパレーシアの闘いの主要な効果は、相手に新たな真理をもたらすことでも、新たな次元の自己認識をもたらすことでもありません。主要な効果とは、相手にこの真理を述べる闘いを内面化させること――自分自身の中で自分自身の過ちと闘い、ディオゲネスと向き合って対話していたのと同じように、自分と向き合って対話できるようにすること——なのです」[60]。

ここに、精神分析を「自己への配慮」の歴史の一部と位置づけ直すような、ある種の転移関係の先駆けを見出そうとする誘惑に駆られるかもしれない。ほとんどの場合、フーコーは精神分析を抑圧の仮説（法に対する欲望の先行性、あるいは法の帰結としての欲望の生産）と同一視するか、「良心」の内的切除の道具と見ているのだが、私たちは、自己探究の別の方向性を示唆しうるこれら二つの立場の間に、いくらかの類似を見出すことができる。結局のところ、フーコーは晩年の講義において、受け容れることの受動性とともに、教えることの他動詞性を考察する方向へと移行しているのである。この両者は、他者の内面化についての彼の所見とともに、フーコーと精神分析との可能な対話のための土台を提示している。

フーコーがそのことを示すのは、講義録『主体の解釈学』の中で、自己の分析的知識は精神的な自己への配慮の伝統に正当な形で属していると述べる際であり、彼はそうした自己への配慮の最初のヴァージョンを古代晩期に見出している。彼はラカンを、精神分析の問題を主体と真理の関係の問題へと位置づけ直した、フロイト以来唯一の人物と賞賛する[61]。この文脈において彼は、「主体は真理を述べるためにいかなる対価を要するのか」という自らの問い——つまり「真理を述べるために主体が支払うべき対価の問題と、主体が真理を語ったという事実が彼に及ぼす効果の問題」[62]——が古代と精神分析とを等しく貫いていることを認めている。フーコーによれば、この問いは、「精神分析の内部に、霊性の最も一般的な形式であった自己への配慮［epimeleia heautou］をめぐる最古の伝統、最古の問いかけ、最古の不安」[63]が見出される際に再浮上する。

フーコーはこの古い関係、つまり自己の自己自身に対する、自己が語る真理に対する、他者に対するこの関係に注目するのだが、それは、彼が以前、精神医学と精神分析の規律的効果に結びつけていた、告解の近代的変形からの自己の距離を繰り返し明らかにするためである。フーコーは、セネカの自己吟味の形式に言及する際、「彼はいかなる秘められた過ちも、いかなる恥ずべき欲望も顕わにしてはいない」[64]と指摘する。そして、エピクテトスについての議論の最後で、彼は自己への道徳的関係と、自己への配慮の道徳的実践とを明確に区別する。彼は述べている。

これらの実践は、言わば「自己の美学」の一部をなしています。というのも、判決を宣告する判事の立場に身を置いてはならないからです。人は自己に対して、技術者、職人、芸術家として振舞うべきなのであって、時おり仕事をやめて、自分が行っていることを吟味し、技芸の規則を想い起こし、それを自分がこれまで行ってきたことと比較するのです[65]。

むろんこれらの説明において、フーコー的主体は熟慮的で意識的なものであるが、「怒り」を含む、情念についての彼の分析は、自己反省と自己形成に抗するレヴェルで人を駆り立てるものを捉えようと努力している。彼は、自分自身についての真理を他者への呼びかけという形式で吟味しなければならない、といった実践に言及しつつ、「「良心の吟味」を、これら異なった実践のすべてを指す広い意味の言葉と考えるのは、誤解を招くものであり、あまりに単純化しすぎである」[66]と明確に述べている。

一九八〇年代以後のこれらの講義において、自己吟味は、他者による（教育的な）呼びかけに続く、他者に対する呼びかけという形式で行われているのである。しかしながら、他者に対する関係は、レヴィナスやラプランシュにおけるような構成的ないし破壊的なものではない。私たちはフーコーの中に、自己に他者の取り消し不可能な刻印を押し、自己支配を確立しようとするあらゆる努力を定義上破壊するような、魂の情念についての問いかけを見出すことはないだろう。自己支配は、教育的関係によって文脈化され、助成される、他者への呼びかけ、あるいは他者の目前への曝されにおいて生まれるのである。

私たちはフーコーの中に、反省性、自己への配慮、自己支配はどれも、自分自身に対して疎遠であるような状況から自己へと「回帰する」ための開かれた、満たされることなき努力である、という理解を見出すことになる。ここでフーコーの、ラプランシュ、レヴィナスとの差異は明らかだ。レヴィナスにとって、「自己回帰」とは無限なものであり、決して達成されることはなく、無起源的なレヴェルで起こり、常に意識的省察以前にある。ラプランシュにとって、諸欲動を生み出す構成的な疎遠さは、「私」とその情動の乗り越え不可能な条件である。フーコーにおける「自己への配慮」の主体は、一種の素材としての自己に対して働きかけるのだが、頑固で扱いにくいこの素材の性格について問うこともできるだろう。ここで、フーコーと精神分析は別の方向に向かう。フーコーにとって、これは開かれた作業であり、いかなる決定的形式も持ちえないような作業である。こうして彼は、反省的関係を定着させ、それを明確な結末へと導くような、進歩もしくは合理的展開という概念に異議を唱えている。自己は歴史の中で形成されるが、個人的自己の歴史、個人化の歴史は所与のものではない。つまり、ここにはいかなる幼年期も、いかなる〈他者〉の刻印の優位も存在しないし、また幼児の自己が相応の対価を伴ってその独立をなしとげるような、いかなる特定の合理性の説明も存在しない。フーコーは、自己への配慮についてのソクラテス的、ストア派的、キュニコス派的、唯物論的見方を考察しつつ、自らが反省性の近代的観念から距離を取っていることを理解している。しかし、この対照性は彼のテクストの「批判的」作用にとって決定的に重要である。というのも、自己についての近代的な考え方は、真理でも、不可避なものでもなく、過去のこれらの――そして別の――自己形成への負債とその否認という複雑な歴史を通じて作られてきたものだからだ。

『主体の解釈学』において、フーコーはソクラテスを導くデルポイの神託――「汝自身を知れ」――について考察し、人が自分自身を知ることができるのは主体が真理への関係を持つときだけだと結論づけている。もし真理がロゴスとして、言語原理、言語構造として、そしてとりわけ、発話の論証的属性として見出されるべきだとすれば、自分自身を知るという可能性そのものは、主体の真理と発話に対する関係を作り上げられるかどうかにかかっていることになる。はたして主体は、自分自身について真理を語ることができるのだろうか。フーコーの理解によれば、彼が古代ギリシア・ローマから検討した自己の見方において、真理に接近しているという確信は、基本的には「主体であること」とは対立しない。[67] フーコーは、近代的状況からの歴史的差異を明確に示している。近代において、真理は主体を規定することも救済することもない。つまり、「あの霊感の地点、あの感性の地点、主体が自分自身について認識した真理の「反作用」によって変容するあの瞬間、主体の存在を推移させ、横断させ、変容させるあの瞬間、こうしたすべてはもはや存在しえないのです」[68]。近代的な諸条件のもとでは、知識は報いでも完成でもなく、「不確定な行程」に沿って進む。私たちは真理と考えるものを追求し、それを語ることができる。にもかかわらずそれは、私たちが誰であるかという基本的な真理を顕わにし、修復し、聖別するために、また私たちの労働や犠牲に報いるために、最後に私たちのところに還ってくるわけではない。フーコーによれば、近代において、私たちは確かに真理に対する関係を持つことはできる。「主体はそのままで真理を受け容れることはできる。しかし、真理はそのままで主体を救うことはできないのです[69]。

この皮肉な結論は、途中で何らかの変化が起きるという可能性を排除してはいない。結局、人は自分自身を説明するとき、公平な媒体を通じて単に情報を中継しているだけではない。説明とは、他者のために、他者へと、さらには他者に対していして遂行する一つの行為――諸行為のより広範な実践の中に位置づけられるそれ――であり、談話行為であり、他者のための、他者の面前での行為であって、時として他者から与えられた言語を用いた行為である。この説明は、決定的な語りの確立を目標とはしておらず、自己変容のための言語的、社会的な機会を形成している。教育的な意味で考えれば、それはソクラテスが『弁明』において、パレーシアとは批判的精神をもって勇敢に語ることであると例証したものの一部をなしている。フーコーによれば、「この新たなパレーシアの目標は、民会で民衆を説得することではなく、ある人物に、自分自身と他者に配慮しなければならないと納得させることです。それが意味するのは、彼は自分の生を変化させなければならない、ということなのです[70]」。

いかに語るかと、いかに生きるかとは別々の企てではない――たとえ、フーコーが想起させるように、言説は人生ではないにしても。自分がどう生きたかを他者に対して、他者の要望に応えて語ることで、人は［他者の］要望に応答し、またある種の絆を確立あるいは再確立して、自分がどこかから呼びかけられたという事実に敬意を払おうとする。それでは、自分自身を説明することが問題である場合、そもそも人は語っているだけなのだろうか、それとも行為しているだけなのだろうか。フーコーは「対話者が自分の生について説明するときに顕わになるビオス－ロゴス関係と、ソクラテスとの接触によって試される両者のハーモニー」[71]に言及している。このように、説明することとはまた、ある種、自分自身を示すことでもあり、説明が正しく見えるかどうか、それが一群の規範、または別の一群の規範を通じて説明を「受け取る」他者にとって理解可能なものかどうかを吟味するために、［自分自身を］示すことなのである。

　私は自分自身に対してある関係を持っている。ただし、私がその関係を持っているのは、他者への呼びかけにおいてなのである。従って、その関係は顕わにされるのだが、それはまた――告白についてのフーコーの仕事から用語を借用するなら――公的なものであり、外観の領域へと投げ込まれ、社会的な明示として構成されている。彼は、真理を語ることを権力の問題へと再結合しつつ、哲学的諸問題は紀元前五世紀に、権力の割り当てという問題との関係において出現する、と述べている。その問題とは、誰が、何について、どんな帰結を伴って、そして権力へのどんな関係を伴って真理を語ることができるか、という問題である。真理を語ることは正当性の法則に従っていなければならないのだが、フーコーはまた、真理を語ることを可能にすると同時に、問いただされねばならない諸条件――私はそれらをレトリック的諸条件と呼んでおきたい――があることを明示してもいる。この意味で、真理を問題にすることは「真理を語ることの重要性、誰が真理を語ることができるかを知ることの重要性、そしてなぜ私たちが真理を語らなければならないかを知ることとの重要性」を説明しなければならない。真理を語ることそのものの限界、条件、帰結に関わるこれらの問いは、彼によれば、「西洋におけるいわゆる「批判的」伝統の根源」を含んでいるのである。[72]

これらの問いは「私たちが「批判的」伝統と呼びうるもの」のルーツを形作るのだが、それらの問いは恐らく、私たちはこの種の探究を批判的伝統の一部に常に含めているわけではないが、明らかに含めるべきだと示唆しているのだろう。フーコーは批判的伝統と同盟関係にあるが、誰もが喜んで彼に手を差し伸べるだろうか。真理を語るという問題が現れる場としての権力の諸条件を強調する点で、フーコーはアドルノからさほど遠くない位置にいる。アドルノにとって、道徳的熟慮とはそれ自体、道具的に捉えられた対象世界から離れたところで主体が生産されるような、ある歴史的条件の帰結なのである。私が自分自身について真理を述べるとき、私は自分の「自己」だけを考慮するのではなく、自己が生産され生産可能になる仕方、真理を述べよという要求が生まれるような立場、真理を述べることが結果として持つ諸効果、払われるべき対価をも考慮するのだ。

これらそれぞれの思想家にとって、対価は別々の仕方で支払われねばならない。自分自身について真理を述べることは、自己形成、真理の社会的地位についての論争へと私たちを巻き込むのである。真理を語るための可能性の諸条件が完全には主題化されない場合、また、私たちの語ることが、簡単には語りに再構築できない――不可能ではないにせよ――形成的歴史、社会性、実体性に依拠する場合、私たちの語りは袋小路に直面する。逆説的ではあるが、私は語ることにおいて収奪されるのであり、倫理的要求はそうした収奪において確立される。なぜなら、いかなる「私」も自分自身には属さないからだ。「私」は最初から、私が想起も復元もできない呼びかけを通じて存在するようになるのであり、私が行為するとき、その構造の大部分が私の制作物でないような世界で行為する——だからといって、私の制作物、私の行為はまったく存在しない、というわけではない。それらは確かに存在する。それが意味しているのはただ、「私」、その苦しみと行為、語りと提示は、様々な仕方で確立され、反復可能な社会関係のるつぼの中で生起する、ということであり、そのうちのいくらかは回復不可能で、現在の私たちの理解可能性に影響を与え、それを条件づけ、制限している、ということだ。また私たちが行い、語るとき、私たちは自分自身を顕わにしているだけでなく、誰が語る存在であるかを決定する理解可能性の図式に影響を及ぼし、それを切断し、見直させ、その規範を強固にし、もしくはそのヘゲモニーと闘っているのである。

アドルノにとって、私は何をなすべきかという問いは、私の行いが形を取り、効果を持つ場としての世界の社会的分析に含みこまれている。彼の見方によれば、責任倫理は私の行為の「目的と意図」だけでなく、「[そこから生じる]世界の形成」をも考慮に入れる。[73] 彼にとって、悪い生の中でいかに良い生を生きるか、世界が貧しく組織されている中でいかに主体的な仕方で良い生に固執するか、という問いは、道徳的価値はその条件、帰結と切り離して考えることができない、ということを別の仕方で主張することでしかない。彼は述べている。「今日なお道徳と呼ばれうるものがあるとすれば、それは世界をどのように組織するかという問題へと移っています。正しい生［＝良い生］の探究は正しい政治の探究である、と言うこともできるでしょう。ただし、こうした正しい政治が、今日そもそも実現可能な領域にあるとすればですが」。[74]

アドルノは、ニーチェを好意的に批評しつつ、新たな価値の創造という作業を解釈する多くの誤解を招くやり方に警戒するよう注意を促している。彼によれば、「実際」「たった一人の個人が」単に「個人の立場から新しい規範、新しい戒律を打ち立てること」は「不可能」なのであり、こうした作業は「恣意的」かつ「偶然的」なものである。[75] 彼は講義の少し後の部分で、「人間を、つまり私たち一人一人を現在の私たちにしている条件」を変化させることに根本から十分な関心を向けていない、とニーチェを批判している。[76] フーコーはある意味で、ニーチェが部分的にしか成し遂げなかった仕事を引き継いでいる。そしてフーコーは、新たな規範をただ単に作り上げる「たった一人の個人」を賞賛することはないが、それらの社会的条件が何度も作り直される場として、主体の実践を位置づけるだろう。

フーコーによれば、もし主体性の新たな諸様態が可能になるなら、それは特に創造的な能力を持った諸個人の存在ゆえではない。そうした主体性の様態が生み出されるのは、私たちを作っている制限的条件が可鍛的で反復可能だと証明されるときであり、ある種の自己が、「人間的なもの」を絶えず作り直す非人間的方法を明らかにし、説明する経験の中で、自らの理解可能性と認識=承認可能性を危険に曝すときである。主体の条件はすべてが見直しへと開かれているわけではない。というのも［主体］形成の条件は、私たち自身のものである衝動においてそれが謎めいた形で生き続けているときでさえ、必ずしも常に回復、理解可能なものではないからだ。自己に対する熟慮に満ちた反省的態度としてであれ、決して十全には知りえないものを生きる様態としてであれ、主体が道徳哲学の問題になるのは、まさしく人間がいかに構成され、脱構成されるか、つまりその行為主体の自己形成の様態と生存の方法を私たちに示してくれるからなのである。私たちが認識論的地平の限界に直面して、問題なのは、単に私があなたを知ることができるか、もしくは知るだろうかということでも、私が知られることができるかということでもないと気づくとき、私たちはまた、私が動作する人間の体系の中で、「あなた」が能力を与えていることを理解せざるをえないし、また、いかなる「私」も「あなたは誰か」、「誰が私に話しかけているのか」、「私は、あなたに話しかけているとき、誰に話しかけているのか」と問うことなく自分の物語を語り始めることはできない、ということを理解せざるをえない。もしこのことが倫理に対するレトリックの優先性をもたらすなら、それもまた正しいのだろう。呼びかけという様態こそが、道徳的問いの生じる方法を条件づけ、構造化するのである。私に要求し、言わば、私は誰か、私は何をしたのか、と問いかける者も、特異性と置き換え不可能性を持っているだろう。しかし、そのような者もまた、非人称的な言葉で、歴史的に変化する理解可能性の地平に属す言葉で語っている。もし、〈他者〉が最初から私たちの上に刻印されている、と述べるレヴィナスが正しいとすれば、私たちはラプランシュとともに、人間の生は幼年期に始まるものであり、これら原初的刻印は、決して私たちに属することのないまま私たちのものである謎、疎遠さと関係して、自我形成、無意識の確立、原初的衝動の刺激と結ばれていることを認めるのである。

　同様に、フーコーとアドルノは別々の仕方で、道徳的探究の熟慮的次元、つまり所与の社会的世界の中で反省的主体として形成されることの困難へと私たちの目を向けさせる。ここで問題となっている自己は、明らかに一連の社会的慣習の中で「形成されて」いる。そして、これらの社会的慣習は、悪い生の中で良い生を送ることができるか、他者とともに、他者のために自己を作り直しつつ、社会的諸条件の作り直しに関与することができるか、という問いを提起している。自分自身を説明することは対価を伴うが、それは、私の提示する「私」が自分自身の形成条件の多くを示すことができないからであるだけではなく、語りに従っている「私」が自分自身の多くの次元を包含することができないからでもある。「私」の多くの次元とは、呼びかけの社会的特性、「私」が理解可能になる手段としての規範、無意識の語りえない、あるいは話しえない次元——それは私の欲望の中心に、私を可能にする疎遠さとして執拗に存在する——である。

これらの極めて異なった立場（アドルノ、フーコー、ラプランシュ、レヴィナス、ニーチェ、ヘーゲル）をつなぐことによって、恐らく最もはっきりと現れてくるのは次のようなことである。すなわち、自分自身を説明せよという要求に応答することは、主体（自己、エゴ、自我［moi］、一人称の視点）形成を考察すると同時に、その責任＝応答可能性への関係を考察することなのである。自分自身を決して完全には説明できない主体とは恐らく、存在の語りえないレヴェルにおいて、倫理的意味を伴う形で他者へと関係づけられていることの結果である。もし「私」が社会的生の刻印から実質的に引き離されることがないなら、倫理は疑いなくレトリック（そして呼びかけの様態の分析）を前提とするだけでなく、社会批判をも前提とする。「原因」としての自己というニーチェ的公準は、良心の内的切除へと倫理哲学を還元するものと理解されるべき、系譜学を伴っている。［系譜学の］こうした作用は、社会的生の問題から、また私たち全員がその内部に現れる——もし実際に現れるとすれば——歴史的に修正可能な理解可能性の格子（グリッド）から、倫理の責務を分離してしまい、それだけでなく、倫理的応答性の前提条件である、他者への原初的で還元不可能な関係の資質を理解しそこなってしまう。〈他者〉による前存在論的な迫害というレヴィナス的公準に反論するのは正しいかもしれないし、あるいはラプランシュ的な誘惑の優位に異議を唱える説明を示すのは正しいかもしれない。しかしいずれにせよ、私たちは主体形成が、倫理的応答を理解するための枠組みと、責任＝応答可能性の理論とをいかにして含意しているかを問わなければならない。もし、ある種の自己専心的な道徳的探求が、個人主義の社会的強化という様態によって支えられたナルシシズムへと私たちを連れ戻すなら、また、そうしたナルシシズムが、自己の容認ないし赦しという美点をまったく知らない倫理的暴力へと通じているなら、そのとき責任の問題を「私たちは社会的生の中でいかにして、そしていかなる対価を伴って形成されているのか」という問いへと立ち戻らせることは――差し迫ったものではないとしても――絶対に必要なことだと思われるのである。

恐らく、最も重要なのは次の点だろう。私たちは、倫理とはまさしく非知の瞬間に自分自身を危険に曝すよう命じるものだ、ということを認めなければならない。非知の瞬間とはつまり、私たちを形成しているものが、私たちの目前にあるものとは異なるときであり、他者への関係においては解体されてしまう私たちの意志が、私たちが人間になるチャンスを与えてくれるときである。他者によって解体されることは根本的な必然性であり、確実に苦しみである。しかし、それはまたチャンス――呼びかけられ、求められ、私でないものに結ばれるチャンスでもあり、また動かされ、行為するよう促され、私自身をどこか別の場所へと送り届け、そうして一種の所有としての自己充足的な「私」を無効にするチャンスでもある。もし私たちがこうした場所から語り、説明しようとするなら、私たちは無責任ではないだろうし、あるいはもしそうであれば、私たちはきっと赦されるだろう。

注

第一章

1 Theodor W. Adorno, *Probleme der Moralphilosophie*, Frankfurt am Main, Suhrkamp, 1997, S. 30; *Problems of Moral Philosophy*, trans. Rodney Livingstone, Stanford, Stanford University Press, 2001, p. 16.［邦訳『道徳哲学講義』、船戸満之訳、作品社、二〇〇六年、三四頁］

2 Ibid., S. 32; trans. p. 19.［邦訳同書、三六頁］

3 Ibid., S. 35; trans. p. 19.［邦訳同書、三八頁］

4 Ibid., S. 35; trans. p. 19.［邦訳同書、三九頁］

5 Ibid.［邦訳同書、同頁］

6 Ibid.［邦訳同書、同頁］

7 Judith Butler, Ernesto Laclau, Slavoj Zizek, *Contingency, Hegemony, Universality*, London, Verso, 2000.［邦訳『偶発性・ヘゲモニー・普遍性』、竹村和子・村山敏勝訳、青土社、二〇〇二年］

8 *Problme der Moralphilosophie*, S. 48; trans. p. 28.［邦訳『道徳哲学講義』、五三頁］

9 【訳注】本書では"agency"という語を基本的に「行為能力」と訳し、文脈に応じて「行為」、「効力」と訳し分けた。「行為能力」という訳語選択の背景については、巻末の「訳者解説」を参照。

10 「私」の社会慣習への没入、またそれによる収奪について、また叙情詩と社会的連帯へのその影響についての際立った、魅力的な分析として以下を参照。Denise Riley, *Words of Selves: Identification, Solidarity, Irony*, Stanford, Stanford University Press, 2000.

11 *Probleme der Moralphilosophie*, S. 28; trans. p. 15.〔邦訳『道徳哲学講義』、三二頁〕

12 *Zur Genealogie der Moral*, in *Kritische Studienausgabe*, Bd. 5, ed. Giorgio Colli and Mazzino Montinari, Berlin, de Gruyter, 1967-77; *On the genealogy of Morals*, trans. Walter Kaufmann, New York, Random House, 1969, II, 16; III, 15.〔邦訳『道徳の系譜』、『ニーチェ全集』第十一巻、信太正三訳、ちくま学芸文庫、一九九三年、第二論文第十六節、第三論文第十五節〕

13 Ibid., II, 16.〔邦訳同書、第二論文第十六節〕

14 Ibid., II, 11.〔邦訳同書、第二論文第十一節〕

15 Ibid., II, 11.〔邦訳同書、第二論文第十一節〕

16 Ibid., II, 22.〔邦訳同書、第二論文第二二節〕

17 Judith Butler, *The Psychic Life of Power*, Stanford, Stanford University Press, 1997.〔邦訳『権力の心的な生』、佐藤嘉幸・清水知子訳、月曜社、二〇一二年、新版二〇一九年〕

18 Michel Foucault, *Histoire de la sexualité 2 : L'usage des plaisirs*, Paris, Gallimard, 1984; *The Use of Pleasure: The History of Sexuality*, vol. 2, New York, Random House, 1985.〔邦訳『快楽の活用——性の歴史Ⅱ』、田村俶訳、新潮社、一九八六年〕

19 以下を参照。Judith Butler, "What Is Critique? On Foucault's Virtue", in *The Political*, ed. David Ingram, London, Basel Blackwell, 2002, pp. 212-226.

20 *L'usage des plaisirs*, p. 35; trans. p. 28.〔邦訳『快楽の活用』、三八頁〕

21 Michel Foucault, « Qu'est-ce que la critique? », in *Bulletin de la société française de philosophie*, 84, no 2, 1990,

35-63, p. 39; "What is Critique?", in *The Political*, ed. David Ingram, pp. 191-211, p. 194.

22 *L'usage des plaisirs*, pp. 35-36; trans. p. 28.〔邦訳『快楽の活用』、三七—三八頁〕

23 *Zur Genealogie der Moral*, II, 18.〔邦訳『道徳の系譜』、第二論文第十八節〕

24 Adriana Cavarero, *Relating Narratives: Storytelling and Selfhood*, trans. Paul A. Kottman, London, Routledge, 2000; *Tu che mi guardi, tu che mi racconti*, Milan, Giagiacomo Feltrinelli, 1997. カヴァレロのテクストをライリーの *Words of Selves* と比較するだけでなく、ポール・リクールの『他者のような自己自身』〔Paul Ricoeur, *Soi-même comme un autre*, Paris, Seuil, 1990. 邦訳『他者のような自己自身』、久米博訳、法政大学出版局、一九九六年〕と比べれば興味深い。リクールは、カヴァレロ同様に、自己の構成的社会性と、語りにおいて自己を提示する能力について論証している。ただし、彼らは極めて異なった方法を取っている。ライリーは抒情詩と日常の言語使用に焦点をしぼり、言語慣習の形式的構造が生み出す、語りによらない指示機能の問題を提示している。

25 以下を参照。Emmanuel Levinas, *Autrement qu'être ou au-delà de l'essence*, The Hague, Martinus Nijhoff, 1974; *Otherwise than being, or beyond Essence*, trans. Alphonso Lingis, The Hague, Martinus Nijhoff, 1981.〔邦訳『存在の彼方へ』、合田正人訳、講談社学術文庫、一九九九年〕

26 Michel Foucault, « Qu'est-ce que la critiques ? », p. 36; trans. p. 191.

27 G. W. F. Hegel, *Phänomenologie des Geistes*, *Werke*, Bd. 3, Frankfurt am Main, Suhrkamp, 1980, S. 146-147; *The Phenomenology of Spirit*, trans. A. V. Miller, Oxford, Oxford University Press, 1977, pp. 111-112.〔邦訳『精神現象学』上巻、樫山欽四郎訳、平凡社ライブラリー、一九九七年、二二〇—二二一頁〕

28 以下を参照。Nathan Rotenstreich, "On the Ecstatic Sources of the Concept of Alienation", *Review of Metaphysics*, 1963; Jean-Luc Nancy, *Hegel : l'inquiétude du négatif*, Paris, Hachette, 1997.〔邦訳『ヘーゲ

ル——否定的なものの不安』、大河内泰樹・西山雄二・村田憲郎訳、現代企画室、二〇〇三年〕；Catherine Malabou, *L'avenir de Hegel : plasticité, temporalité, dialectique*, Paris, Vrin, 1996.〔邦訳『ヘーゲルの未来』、西山雄二訳、未來社、二〇〇五年〕

29 この点についての更なる考察は、以下を参照。Judith Butler, *Precarious Life: The Powers of Mourning and Violence*, London, Verso, 2004, ch. 5, "Precarious Life".〔邦訳『生のあやうさ——哀悼と暴力の政治学』、本橋哲也訳、以文社、二〇〇七年、第五章「生のあやうさ」〕

30 Michel Foucault, « Qu'est-ce que les Critiques ? », p. 46; trans. p. 191.

31 Hannah Arendt, *The Human Condition*, Chicago, University of Chicago Press, 1958, p. 178.〔邦訳『人間の条件』、志水速雄訳、ちくま学芸文庫、一九九四年、二九〇頁〕以下に部分的に引用されている。Adriana Cavarero, *Relating Narratives*, p. 20.

32 Adriana Cavarero, *Relating Narratives*, pp. 20-29.

33 Ibid., pp. 90-91.

34 Ibid. p. 92.

35 G. W. F. Hegel, *Phänomenologie des Geistes*, S. 92; trans. p. 66.〔邦訳『精神現象学』上巻、一三八頁〕

36 Michel Foucault, « Réponse à une question », in *Dits et écrits*, vol. I, Paris, Gallimard, 1994, pp. 694-695; "The Politics of Discourse", *in The Foucault Effect: Studies in Governmentality*, ed. Graham Burchell, Colin Gordon, and Peter Miller, Chicago, University of Chicago Press, 19991, pp. 70-72.〔邦訳「『エスプリ』誌 質問への回答」、石田英敬訳、『ミシェル・フーコー思考集成』第Ⅲ巻、筑摩書房、一九九九年、九七—九八頁〕

37 Thomas Keenan, *Fables of Responsibility: Aberrations and Predicaments in Ethics and Politics*, Stanford, Stanford University Press, 1997.

38 【訳注】ラカンの「鏡像段階」論文を参照。「重要な点は、この形式［理想自我］が自我の審級を、それが社会的に決定される以前から、虚構の方向に位置づける、ということです」(Jacques Lacan, « Le stade du miroir comme formateur de la fonction du Je », in *Écrits*, Seuil, 1966, p. 94)。

39 語りはアレゴリーとして働き、最終的に連続的関係においては捉えられないものに対して、また、語りの形式を引き受けるときにのみ否定され、転位され、変形されうるような時間性、空間性を持つものに対して、連続的説明を与えようとする。実際、私がここで恐らく大雑把に指示対象と呼んでいるものは、それが語り——その構築を必然的に掘り崩すものに対して、仮の虚構的な連続性を与えるような語り——の逆説的な条件として機能するときにさえ、語りの権威への恒常的脅威として機能するだろう。以下を参照。Stephen Greenblatt, ed., *Allegory and Representation: Selected Papers from the English Institute, 1979-80*, Baltimore, The Johns Hopkins University Press, 1990.

40 Shoshana Felman, *The Scandal of the Speaking Body: Don Juan with J. L. Austin, or Seduction in Two Languages*, trans. Catherine Porter, Stanford, Stanford University Press, 2003.［邦訳『語る身体のスキャンダル——ドン・ジュアンとオースティンあるいは二言語による誘惑』立川健二訳、勁草書房、一九九一年］

第二章

1 こうした方向での透明性と照明についての考察として、以下を参照。M. H. Abrams, *The Mirror and the Lamp: Romantic Theory and the Critical Tradition*, Oxford, Oxford University Press, 1953.

2 Jacques Lacan, *Le séminaire*, livre VII, « L'étique de la psychanalyse », Paris, Le Seuil, 1986, p. 370; *The Seminar*

of Jacques Lacan, Book VII, "The Ethics of Psychoanalysis", 1959-1960, trans. Dennis Porter, New York, W. W. Norton, 1997, p. 321.［邦訳『精神分析の倫理』下巻、小出浩之他訳、岩波書店、二〇〇二年、二三三頁］

3　私はこの点を、次の論考でさらに詳しく考察している。"The Desire to Live: Spinoza's *Ethics* under Pressure", in Victoria Kahn and Neil Saccamano, eds., *Passions and Politics*, Princeton, Princeton University Press, 2006.

4　ジル・ドゥルーズはこの点を、道徳性（判断に関わる）と倫理を区別する試みのなかで、いささか別の形で主張している。例えば、彼は次のように述べている。「道徳とは判断のシステムです。二重の判断のシステムによって、あなたは自分自身を裁き、また裁かれます。道徳感覚を持つ者は、判断の感覚を持っているのです。判断することとは、存在より高次の審級を含意し、存在論より高次の何かを常に含意します。それは存在以上の一者を、つまり存在させ行為させる〈善〉を含意しており、それは存在よりすぐれた〈善〉、一者なのです。価値は存在より上位のこの審級を表現します。従って、価値とは判断のシステムの基本的要素なのです。従って、判断するためには存在より高次のこの審級を参照しなければなりません。

倫理において、事態はまったく異なっています。つまり、判断しないのです。それはある意味で、何をしようと、たかだが自分に値する結果しか得られないだろう、と言明することです。あなたは誰かが言ったりしたりすることを、価値に結びつけたりはしません。代わりに、こんなことがどうして可能なのか、こんなことがどうして内的に可能なのか、と自問するのです。別の言い方をすれば、物事や発言を、それが含意し、自らに包含している存在様態に結びつけるのです。そのように言うためにはいかなる状態でなければならないのでしょうか。それはどのような存在様態を含んでいるのでしょうか。あなたが探しているのは包含された存在様態であって、超越的価値ではありません。それは内在の働きなのです」(Cours de Vincennes, 21 décembre 1980, https://www.webdeleuze.com/textes/26)。

5 以下の私の論考を参照。"Beauvoir on Sade: Making Sexuality into an Ethic", in *Cambridge Companion to Simone de Beauvoir*, ed. Claudia Card, Cambridge, Cambridge University Press, 2004, pp. 168-188.

6 Franz Kafka, "Das Urteil", in *Die Erzählungen*, Frankfurt am Main, S. Fischer, 1998, S. 47-60; *The Metamorphosis, The Penal Colony, and Other Stories*, trans Willa and Edwin Muir, New York, Schocken, 1975, pp. 49-63.［邦訳「判決」、『カフカ全集』第一巻、川村二郎、円子修平訳、新潮社、一九八〇年、三五—四五頁］

7 ここでバーバラ・ジョンソンに感謝しておきたい。彼女はボードレールについて書きながら、呼びかけの初期構造を「私—あなたの関係一般に対する初期設定としての母の機能」と定式化している。Cf. Barbara Johnson, *Mother Tongues: Sexuality, Trials, Motherhood, Translation*, Cambridge, Mass., Harvard University Press, 2003, p. 71.

8 以下を参照。Shoshana Felman, *The Scandal of the Speaking Body: Don Juan with J. L. Austin, or Seduction in Two Languages*, trans. Catherine Porter, Stanford, Stanford University Press, 2003.［邦訳『語る身体のスキャンダル』］

9 一般に受動的構築を拒否し、生の語りを構築するものとして「私」とその働きを特権化するような、精神分析と言語の説明として、以下を参照。Roy Schafer, *A New Language for Psychoanalysis*, New Haven, Yale University Press, 1976, pp. 22-56. 転移概念を含んだ、精神分析の語りの構造への関係の概念については、以下を参照。Peter Brooks, *Psychoanalysis and Story-telling*, Oxford, Basil Blackwell, 1994.

10 以下を参照。Denise Riley, *Impersonal Passion: Language as Affect*, Durham, N.C., Duke University Press, 1997. また以下も参照。Thomas Keenan, *Fables of Responsibility: Aberrations and Predicaments in Ethics and Politics*,

Stanford, Stanford University Press, 1997, pp. 175-192. フェミニストの自伝的語りと、その真理を語る尺度をめぐる論争についての優れた議論として、以下を参照。Leigh Gilmore, *The Limits of Autobiography: Trauma and Testimony*, Ithaca, N.Y., Cornell University Press, 2001.

11 【訳注】バトラーにおいて、「《幻想》［phantasm］」、「《幻想》的［phantasmatic］」は、主体形成に必要な原初的同一化の不安定な位置を意味し、「幻想［fantasy］」、「幻想化［fantasize］」は形成された主体の想像行為としての幻想、幻想形成を意味する。これは、ラプランシュ＝ポンタリスが『幻想の起源』において、主体形成の核となる原初的あるいは起源的幻想としての「《幻想》［phantasme］」と、主体の想像行為としての「幻想［fantasme］」を区別したことに由来する。これらの概念的区別の説明として、以下を参照。*Bodies That Matter*, New York, Routledge, 1993, Chapter 3, n. 2, n. 7. ［邦訳『問題（マター）＝物質となる身体』、佐藤嘉幸監訳、以文社、二〇二一年、第三章注2、注7］

12 Jean Laplanche, *Le primat de l'autre en psychanalyse*, Paris, Flammarion, coll. « Champs », 1999; *Essays on Otherness*, ed. John Fletcher, London, Routledge, 1999.

13 Christopher Bollas, *The Shadow of the Object: Psychoanalysis of the Unthought Known*, New York, Columbia University Press, 1987. ［邦訳『対象の影——対象関係論の最前線』、館直彦監訳、岩崎学術出版社、二〇〇九年］

14 Ibid., p. 202. ［同書、二〇一頁］

15 Ibid., p. 204. ［同書、二〇三頁］

16 Ibid., p. 253. ［同書、二五〇頁］

17 Ibid., p. 254. ［同書、二五一頁］

18 Ibid., p. 206. ［同書、二〇五頁］

19 Ibid., p. 210.〔同書、二〇九頁〕

20 Ibid., p. 285.〔同書、六五頁、注三〕

21 以下を参照。D. W. Winnicott, *Holding and Interpretation: Fragment of an Analysis*, London, Hogarth Press, 1986.〔邦訳『抱えることと解釈』、北山修監訳、岩崎学術出版社、一九八九年〕

22 この射精にも似た自殺をマゾヒズムとの関係において位置づける解釈として、以下を参照。Cathy Caruth, "Interview with Jean Laplanche", 2001, http://pmc.iath.virginia.edu/text-only/issue.101/11.2caruth.txt, para. 921.「私は「死の欲動」という言葉にはとても批判的です。ですから〔……〕「死」よりも「性的」の部分をより強調して、それを性的な死の欲動と呼んだのです。私にとって、性的な死の欲動は単にセクシュアリティであり、解放されたセクシュアリティ、極限のセクシュアリティです。そして、死よりも一次マゾヒズムに注意を促しておきましょう。私は、死よりもマゾヒズム、あるいはサド・マゾヒズムに性的な死の欲動の意味を見ています。フロイトが死の欲動の核を置いたのは、サディズムの側にではなく、マゾヒズムの側にでした」。

23 Franz Kafka, "Die Sorge des Hausvaters", in *Die Erzählungen*, Frankfurt am Main, S. Fischer, 1998, S. 343-344; "Cares of a Family Man", in *The Complete Stories*, trand. Willa and Edwin Muir, New York, Schocken, 1976, pp. 427-428.〔邦訳「父の気がかり」、『カフカ全集』第一巻、川村二郎、円子修平訳、新潮社、一九八〇年、一一三―一一四頁〕

24 Theodor W. Adorno, Walter Benjamin, *Briefwechsel 1928-1940*, ed. Henri Lonitz, Frankfurt am Main, Suhrkamp, 1995, S. 92-93; *The Complete Correspondence, 1928-1940*, trans. Nicholas Walker, Cambridge, Harvard University Press, 1999, pp. 68-69.〔邦訳『ベンヤミン／アドルノ往復書簡 1928-1940』、野村修訳、晶文社、一九九六年、七七頁〕

25 二つの形の「生き延びること」をベンヤミンが「翻訳者の使命」〔邦訳『エッセイの思想――ベンヤミン・コレクション2』所収、浅井健二郎他訳、ちくま学芸文庫、一九九六年〕で展開しているfortlebenとüberlebenの区別との関係において考察すれば興味深いかもしれない。明らかに、「判決」の最後の声とオドラデクの不滅性はnachleben、つまり生き延びることの意味を想起させる。意義深いことだが、ジャック・デリダは、人間の有限性という仮定に対して言語において生じる、死後の生（überleben）と、生き残ることあるいは生き続けること（fortleben）のこうした差異に言及している。この言語の機能は、幽霊的であるとともに生命を持ったものである。彼の最後のインタビューを参照。Jacques Derrida, *Apprendre à vivre enfin : entretien avec Jean Birnbaum*, Paris, Galilée, 2005.〔邦訳『生きることを学ぶ、終に』、鵜飼哲訳、みすず書房、二〇〇五年〕

26 Theodor W. Adorno, *Prismen*, in *Kulturkritik und Gesellschaft I, Gesammelte Schriften*, Bd. 10.1, Frankfurt am Main, Suhrkamp, 1997, S. 264-265; *Prisms*, trans. Samuel and Shierry Weber, Cambridge, MIT Press, 1981, p. 253.〔邦訳『プリズメン』、渡辺祐邦・三原弟平訳、ちくま学芸文庫、一九九六年、四二一頁〕

27 以下を参照。John Fletcher, "The Letter in the Unconscious: The Enigmatic Signifier in Jean Laplanche", in *Jean Laplanche : Seduction, Trandlation, and the Drives*, ed., John Fletcher and Matin Stanton, London, ICA, 1992. フレッチャーが明らかにするところによれば、ラプランシュが性的メッセージの源泉としての「大人の世界」を援用する点は、〈父〉と〈母〉を伴ったエディプス的光景が原初的レヴェルで欲望を構造化する、と想定する精神分析的説明からの意義深い離脱である。フレッチャーはこの線にそって、ラプランシュのジャック・ラカンの仕事への負債、あるいはそこからの離脱を要約する。フレッチャーは試論の最後で、ラプランシュの「謎のシニフィアン」の理論がラカン的象徴界への明確なオルタナティヴとして現れる、と記している。

この説明は、女性の交換という構造主義的説明と、「文化」の普遍的前提と結合した父権的な法に、謎のシニフィアンという概念によって反論する。この概念は、原初的無意識と性的メッセージが子供に印象づけられる（「原初的誘惑」の意味と有効性を構成しながら）と仮定するだけでなく、これらの印象を作り出す原初的他者たちは、完全には解読も復元もされないような同様のメッセージに捕らえられている、と仮定している。実際、フレッチャーが述べるように、「エディプスはもはや、一次的という意味で根源的なもの［primal］ではなく、トポロジー的に二次的なものとして位置づけられる――たとえそれが、初期の書き込みと翻訳の練り直しを含むとしても。それはもはや普遍的という意味で根源的なもの［primal］ではなく、文化的に偶然的なものである」（ibid., p. 118）。

　フレッチャーは二つの注記に基づいて彼の試論を締め括っている。第一に、彼の断言によれば、ラプランシュは「父権的〈法〉とそのエディプス的極性の規範化機能から逸脱するような、あるいはそれを作り直そうとするような心的道筋（例えば、女性、男性の様々な同性愛）」を説明する精神分析の可能性を明確に開いたのである。これがどのように作用するかをフレッチャーは明確には示していないが、彼はこの可能性を、父権的法を謎のシニフィアンに置き換えることから帰結すると示している。第二に、彼は来るべきプロジェクトを提示しており、それは、エディプスを一次性＝根源性［primacy］の座から追い払うことによってジェンダーをいかに説明するか、という問いである。「原初的誘惑という文脈から欲動を作り直すことによってラプランシュが明らかにしていない、あるいは理論化していないことは、性的、性器的に差異化された身体イメージの心的な構築と書き込み（どんな謎のシニフィアンの抑圧と象徴化が存在するのか）、ジェンダー化されたアイデンティティー形成のための土台、あるいは少なくとも地盤がいかに再考されるべきか、という点である」（Ibid., p. 119）。

28 Jean Laplanche, « La pulsion et son objet-source : son destin dans le transfert », in *Le primat de l'autre en*

psychanalyse, Paris, Flammarion, 1997, pp. 227-242; "The Drive and the Object-Source: Its Fate in the Transfarence", in *Jean Laplanche: Seduction, Translation, and the Drives*, ed. Fletcher and Stanton, p. 191. この立場の文献上の出典として次を参照。Sigmund Freud, "Das Unmewußte", in *Gesammelte Werke*, Frankfurt am Main, S. Fischer, 1940-1952, Bd. 10; "The Unconscious", *The Standard Edition of the Complete Psychological Works of Sigmund Freud*, ed. James Strachey, London, Hogarth, 1953-1974, vol. 14.［邦訳「無意識」、新宮一成訳、『フロイト全集』第十四巻、岩波書店、二〇一〇年］ 無意識における語表象と物表象の区別については、同書 S. 300-303; trans. pp. 201-204［邦訳同書、二五一―二五四頁］を参照。

29 Jean Laplanche, « La pulsion et son objet-source », in *Le primat de l'autre en psychanalyse*, p. 239; trans. p. 191.

30 Ibid., p. 237; trans. p. 188.

31 Ibid., p. 238; trans. p. 188.

32 Cathy Caruth, "Interview with Jean Laplanche", para. 124.

33 以下を参照。Jean Laplanche, « La pulsion et son objet-source », in *Le primat de l'autre en psychanalyse*, p. 242; trans. p. 193.

34 Jean Laplanche, *Vie et mort en psychanalyse*, Paris, Flammarion, 1970, p. 14 ; *Life and Death in Psychoanalysis*, trans. Jeffrey Mehlman, baltimore, The Johns Hopkins University Press, 1985, p. 6.［邦訳『精神分析における生と死』、十川幸司他訳、金剛出版、二〇一八年、一八頁］ 以下に引用されている。Cathy Caruth, "Interview with Jean Laplanche", para. 89.

35 Jean Laplanche, « Responsabilité et réponse », in *Entre séduction et inspiration : L'Homme*, Paris, PUF, 1999, pp. 147-172.

36 Ibid., p. 156.

37 Ibid., p. 162.

38 Ibid., p. 163.

39 Ibid.

40 Ibid.

41 Ibid., p. 166.

第三章

1 トマス・キーナンは、人質に取られるという状況から生じる責任＝応答可能性について、レヴィナスとブランショ両者の明晰かつ挑発的な読解を行っている。その説明の中で彼は、他者の呼びかけに応答しようとする自己はまさしく独自の自己ではなく「誰でもない者」であると述べ、責任＝応答可能性を匿名性の特権であるとしている。以下を参照。Thomas Keenan, *Fables of Responsibility: Aberrations and Predicaments in Ethics and Politics*, Stanford, Stanford University Press, 1997.

2 【訳注】原題は『存在するとは別の仕方で、あるいは存在することの彼方へ』であり、邦訳初版（朝日出版社、一九九〇年）はそのタイトルを採用していたが、現在は改訳新版が『存在の彼方へ』（講談社学術文庫、一九九九年）というタイトルで刊行されている。本書では、注において参照頁を示す際には新版を用いる。

3 Emanuel Levinas, « La substitution », in *Revue philosophique de Louvain*, n° 66, 1968, p. 505; "Substitution", in *Basic Philosophical Writings*, ed. Adriaan T Peperzak, Simon Critchley, Robert Bernasconi, Bloomington, Indiana

University Press, 1996, pp. 93-94. この試論は、その後改稿されて『存在するとは別の仕方で』に収録されている。

4 Ibid., p. 504; trans. p. 93.

5 Ibid., p. 500; trans. p. 90.

6 Ibid., pp. 500-501; trans. p. 90.

7 Ibid., p. 501; trans. p. 90.

8 以下を参照。Emmanuel Levinas, *Autrement qu'être*, p. 149; trans. p. 117.〔邦訳『存在の彼方へ』、講談社学術文庫、合田正人訳　講談社学術文庫、一九九九年、二七一頁〕

9 Emmanuel Levinas, *Difficile liberté : Essais sur le judaïsme*, Paris, Albin Michel, 1976, p. 120; *Difficult Freedom: Essays on Judaism*, trans. Sean Hand, Baltimore, The Johns Hopkins University Press, 1990, p. 89.〔邦訳『困難な自由　増補版・定本全訳』、合田正人監訳、法政大学出版局、二〇〇八年、一二〇頁〕私は以前、未刊行の試論（"Prehistories of Postzionism: The Paradoxes of Jewish Universalism"）でこの著作について詳細に考察している。

10 Emmanuel Levinas, *Autrement qu'être*, p. 134; trans. p. 105.〔邦訳『存在の彼方へ』、二四七頁〕.

11 Emmanuel Levinas, *Difficile liberté*, p. 22; trans. p. 8.〔邦訳『困難な自由』、一一頁〕

12 Emmanuel Levinas, *Autrement qu'être*, p. 141; trans. p. 111.〔邦訳『存在の彼方へ』、二五九頁〕

13 Emmanuel Levinas, *Difficile liberté*, pp. 290-291; trans. p. 225.〔邦訳『困難な自由』、三〇〇頁〕

14 Ibid., p. 216; trans. p. 165.〔邦訳同書、二一九頁〕

15 Ibid.〔邦訳同書、同頁〕

16 Emmanuel Levinas, « La substitution », p. 491; trans. p. 83.

17 以下を参照。Jean Laplanche, *Vie et mort en psychanalyse; Life and Death in Psychoanalysis*.〔邦訳『精神分析における生と死』〕

18 Theodor W. Adorno, *Minima Moralia: Reflexionen aus dem beschädigten Leben*, Frankfurt am Main, Suhrkamp, 1969, S. 216; *Minima Moralia: Reflecitons from Damaged Life*, trans. E. F. N. Jephcott, London, Verso, 1974, p. 164.〔邦訳『ミニマ・モラリア——傷ついた生活裡の省察』、三光長治訳、法政大学出版局、一九七九年、二四九頁〕

19 アドルノとレヴィナスのさらなる比較として、以下を参照。Hent de Vries, *Minimal Theologies: Critiques of Secular Reason in Adorno and Levinas*, trans. Geoffrey Hale, Baltimore, The Johns Hopkins University Press, 2005.

20 Theodor W. Adorno, *Probleme der Moralphilosophie*, S. 250; trans. p. 169.〔邦訳『道徳哲学講義』、二八〇頁〕

21 Ibid., S. 250-251; trans. p. 169.〔邦訳同書、二八〇頁〕

22 Ibid., S. 251; trans. p. 169.〔邦訳同書、同頁〕

23 カフカの物語に対するアドルノの論議については以下も参照。Theodor W. Adorno, Walter Benjamin, *Briefwechsel, 1928-1940*, S. 93-96; *The Complete Correspondence, 1928-1940*, pp. 68-70.〔邦訳『ベンヤミン／アドルノ往復書簡 1928-1940』、七六―七九頁〕

24 Theodor W. Adorno, *Probleme der Moralphilosophie*, S. 261; trans. p. 175.〔邦訳『道徳哲学講義』、二九〇頁〕

25 マックス・ヴェーバーの倫理における二つの形式、責任倫理と心情倫理については以下を参照。Max Weber, "Politics as a Vocation," in *From Max Weber: Essays in Sociology*, trans. and ed. H.H. Gerth and C. Wright Mills, New York, Oxford University Press, 1958, pp. 77-128.〔邦訳『職業としての政治』、脇圭平訳、岩波文庫、一九八〇年〕彼によれば、「行為には、「心情倫理的」に方向づけられる場合と、「責任倫理

的」に方向づけられる場合がある」（p. 120［邦訳同書、八九頁］）。心情倫理は、ある特定の目的がそれを達成するために必要とされた手段を正当化し、また時にはその目的のために道徳的に疑わしい手段を用いる危険を冒すことをも正当化する、という確信に関わっている。責任倫理は、現在の世界における人間の行為の結果に沿ったものであり、それに対して責任を負うことに同意する。このように「責任」の位置とは行為適合的なものであり、現実主義的なものである。ヴェーバーは最終的に、「心情倫理」の理想主義的な何かが、政治的な職業には求められており、また「心情倫理と責任倫理は絶対的なものではなく、むしろ相互補完的なものであり、この二つが調和したときにのみ真の人間――「政治に対する天職」を持ちうる人間――を構成する」と述べている（p. 127［邦訳同書、一〇三頁］）。また次も参照。Wendy Brown, *Politics Out of History*, Princeton, Princeton University Press, 2001, pp. 91-95.

26 Theodor W. Adorno, *Probleme der Moralphilosophie*, S. 239-240; trans. p. 161.［邦訳『道徳哲学講義』、二六九頁］

27 Ibid., S. 242; trans. p. 163.［邦訳同書、二七一頁］

28 Michel Foucault, « Structuralisme et poststructuralisme », in *Dits et écrits*, t. IV, Paris, Gallimard, 1994; “How Much Does It Cost for Reason to Tell the Truth?”, in *Foucault Live*, ed. Sylvère Lotringer, trans. John Honston, New York, *Semiotext[e]*, 1989.［邦訳「構造主義とポスト構造主義」、黒田昭信訳、『ミシェル・フーコー思考集成』第IX巻、筑摩書房、二〇〇一年］ このインタビューは最初、“Structuralism and Post-Structuralism”, in *Telos*, 16, no. 55, 1983, pp. 195-211として出版され、同時にドイツ語でも“Um Welchen Preis sagt die Vernunft die Wahrheit”, with Gerard Raulet, trans. Khosrow Nosration, in *Spuren* 1, 2 (May, June 1983) として発表された。

29 Michel Foucault, “About the Beginning of the Hermeneutics of the Self”, trans. Thomas Keenan and Mark

Blasius, *Political Theory*, 21, no. 2, May 1993, pp. 198-227; republished in *Michel Foucault: Religion and Culture*, ed. Jeremy Carrette, New York, Routledge, 1999, pp. 158-181.

30 "About the Beginning of the Hermeneutics of the Self", in *Michel Foucault: Religion and Culture*, p. 169.

31 Ibid., p. 178.

32 Ibid., p. 179.

33 Michel Foucault, « Structuralisme et poststructuralisme », in *Dits et écrits*, t. IV, p. 436. trans. p. 238.［邦訳「構造主義とポスト構造主義」、『ミシェル・フーコー思考集成』第IX巻、三〇五頁。フランス語版テクストでは「現象学的で超歴史的なタイプの主体［＝主観］は、理性の歴史性を説明することができるか」となっているが、ここでは英語版に従う。］

34 フーコーは、「〔諸主体に対して〕真理の法――彼らが認識＝承認しなければならず、他者が彼らの中に認識＝承認しなければならない真理の法――を課する［……］権力の形式」に言及している。Cf. Michel Foucault, « Le sujet et le pouvoir », in *Dits et écrits*, t. IV, p. 227; "The Subject and Power", in *Michel Foucault: Beyond Structuralism and Hermeneutics*, ed. Hubert Dreyfus and Paul Rabinow, Evanston, Ill., Northwestern University Press, 1982, p. 212.［邦訳「主体と権力」、渥海和久訳、『ミシェル・フーコー思考集成』第IX巻、一五頁］

35 Michel Foucault, « Structuralisme et poststructuralisme », in *Dits et écrits*, t. IV, p. 437. trans. p. 239.［邦訳「構造主義とポスト構造主義」、『ミシェル・フーコー思考集成』第IX巻、三〇六頁］

36 Ibid., p. 441.［邦訳同書、三一二頁］

37 Ibid., p. 438.［邦訳同書、三〇八頁］

38 Ibid., p. 439.［邦訳同書、三〇九頁］

39 Ibid., p. 440; trans. p. 242.〔邦訳同書、三一〇頁〕

40 Ibid., p. 440; trans. p. 243.〔邦訳同書、三一〇頁〕

41 Ibid., p. 441; trans. p. 244.〔邦訳同書、三一二頁〕

42 Ibid., pp. 447-448; trans. p. 251.〔邦訳同書、三二〇―三二一頁〕

43 Ibid., p. 442.〔邦訳同書、三一三頁〕強調引用者。

44 Ibid., p. 444; trans. p. 248.〔邦訳同書、三一六頁〕

45 Ibid., p. 445.〔邦訳同書、三一七頁〕

46 Ibid., p. 449; trans. p. 252.〔邦訳同書、三二二頁〕

47 Ibid., pp. 449-450.〔邦訳同書、三二三―三二四頁〕

48 Michel Foucault, « Le sujet et le pouvoir », in *Dits et écrits*, t. IV, p. 227; trans. p. 212.〔邦訳「主体と権力」、『ミシェル・フーコー思考集成』第IX巻、一五頁〕

49 Michel Foucault, *L'usage des plaisirs*, p. 11; trans. p. 5.〔邦訳『快楽の活用』、一二頁〕

50 Michel Foucault, « Structuralisme et poststructuralisme », in *Dits et écrits*, t. IV, pp. 450-451; trans. p. 254.〔邦訳「構造主義とポスト構造主義」、『ミシェル・フーコー思考集成』第IX巻、三二五頁〕

51 Michel Foucault, « Le sujet et le pouvoir », in *Dits et écrits*, t. IV, p. 232; trans. p. 217.〔邦訳「主体と権力」、『ミシェル・フーコー思考集成』第IX巻、二一頁〕

52 Michel Foucault, « Structuralisme et poststructuralisme », in *Dits et écrits*, t. IV, p. 451; trans. p. 254.〔邦訳「構造主義とポスト構造主義」、『ミシェル・フーコー思考集成』第IX巻、三二五頁〕

53 Ibid.〔邦訳同書、同頁〕

54 【訳注】フランス語版テクストでは「真理を述べる」に引用符は付けられていないが、ここでは英語版に従う。

55 「パレーシア」とは、自由に語ること、率直さを意味するギリシア語であって、「行動の自由」に関係している。この言葉は二つの意味を持つ。第一の意味は「率直な発言」であり、第二の意味は「必要な率直さに対して事前に赦しを求めること」である。以下を参照。Richard Lanham, *A Handbook of Rhetorical Terms*, Berkeley, University of California Press, 1991, p. 110. また以下も参照。Michel Foucault, *L'herméneutique du sujet, Cours au Collège de France, 1981-82*, Paris, Gallimard/Seuil, 2001, pp. 355-378.〔邦訳『主体の解釈学』、廣瀬浩司・原和之訳、筑摩書房、二〇〇四年、四二一—四四六頁〕

56 Michel Foucault, *Fearless Speech*, ed. Joseph Pearson, New York, Semiotext[e], 2001.〔邦訳『真理とディスクール——パレーシア講義』、中山元訳、筑摩書房、二〇〇二年〕 このテクストはフーコーの書いたものではなく講義であり、一九八三年春にバークレーで行われたセミナー「言説と真理」のある聴講者のノートを書き起こしたものである。『主体の解釈学』は、とりわけセネカ、禁欲、パレーシアについて同じような素材を扱っており、またアルキビアデス、ソクラテス、デルポイの神託、エピクロスとストアの二者択一、自己への配慮、主体化についてのさらに詳しい議論を含んでいる。

57 Plato, *Laches*, 187e-188c.〔邦訳『ラケス』、『プラトン全集』第七巻、生島幹三他訳、岩波書店、一九七五年、一三〇—一三二頁〕 Michel Foucault, *Fearless Speech*, p. 96.〔邦訳『真理とディスクール』、一四〇頁〕

58 Michel Foucault, *Fearless Speech*, p. 96.〔邦訳同書、同頁〕

59 Ibid., p. 97.〔邦訳同書、一四一頁〕

60 Ibid., p. 133.〔邦訳同書、一九七—一九八頁〕

61 Michel Foucault, *L'herméneutique du sujet*, p. 31.〔邦訳『主体の解釈学』、三七頁〕

62 Ibid.〔邦訳同書、三八頁〕

63 Ibid.〔邦訳同書、三八頁〕
64 Michel Foucault, *Fearless Speech*, p. 152.〔邦訳『真理とディスクール』、二二五頁〕
65 Ibid., p. 166.〔邦訳同書、二四四頁〕
66 Ibid., pp. 144-145.〔邦訳同書、二一五頁〕
67 Michel Foucault, *L'herméneutique du sujet*, p. 20.〔邦訳『主体の解釈学』、二二三頁〕
68 Ibid.〔邦訳同書、二二三頁〕
69 Ibid.〔邦訳同書、二二三頁〕
70 Michel Foucault, *Fearless Speech*, p. 106.〔邦訳『真理とディスクール』、一五八頁〕
71 Ibid., p. 101.〔邦訳同書、一四八頁〕
72 Ibid., p. 170.〔邦訳同書、二四八頁〕
73 Theodor W. Adorno, *Probleme der Moralphilosophie*, S. 240; trans. p. 162.〔邦訳『道徳哲学講義』、二六九頁〕
74 Ibid., S. 262; trans. p. 176.〔邦訳同書、二九一頁〕
75 Ibid., S. 256; trans. p. 172.〔邦訳同書、二八五頁〕
76 Ibid., S. 259; trans. p. 174.〔邦訳同書、二八八頁〕

訳者解説　「倫理」への転回

佐藤嘉幸

本書『自分自身を説明すること――倫理的暴力の批判』において、バトラーは「倫理」の問題を扱っている（ここで「倫理」とは、主体形成における他者の優位性を意味する）。そして、それは同時に「倫理的暴力の批判」として現れる。どういうことだろうか。背景から確認しよう。バトラーはジェンダー、クイア理論の代表的理論家として知られるが、同時に哲学者、社会理論家としても知られている（例えば、フーコー、アルチュセール、ニーチェ、フロイトから出発して権力による主体形成の問題を論じた『権力の心的な生』、ジジェク、ラクラウとともに新たな左翼政治理論を模索した『偶然性・ヘゲモニー・普遍性』を参照されたい）。彼女のそのようなキャリアから言えば、本書は後者の文脈、つまり哲学者、社会理論家としての仕事に位置づけられる。しかし、バトラーにおいて、ジェンダー、クイア理論と哲学、社会理論の両者が密接に関係している点を見逃してはならない。『ジェンダー・トラブル』（一九九〇年）、『問題＝物質（マター）となる身体』（一九九三年）、そして『権力の心的な生』（一九九七年）において、彼女はある共通の問題を扱っている。彼女が極めて強い影響を受けているミシェル・フーコーに引きつけて言うなら、それを「権力の系譜学」としてのジェンダーの系譜学と表現することができる。しかし、社会的規範の強制力のもとでの個人（とりわけ性的マイノリティ）の「生存可能性［viability］」の問題を扱った『ジェンダーを解体する』（二〇〇四年）、そして本書『自分自身を説明すること』（二〇〇五年）において、バトラーは別の方向に向かっているように見える。つまり彼女は、一九八〇年代のフーコーが「権力の系譜学」から「倫理」の問題系へと向かったように、「倫理」の問題へと移行しつつあるように思われるのである。そして、フーコーにおける「倫理」が、権力への抵抗点の形成を含意するような極めて政治的なものであったように、バトラーにおける「倫理」も、政治の問題と密接に結びついている（なお、彼女のアクチュアルな政治への介入については、『生のあやうさ』［二〇〇四年］を参照されたい）。

それでは、本書においてバトラーはいかなる「倫理」を問題にしているのだろうか。まさしくフーコーに言及しつつ、彼女は次のように述べている。

> 多くの批判者が、フーコー——やその他のポスト構造主義者たち——の提示する主体の見方は倫理的熟慮を導く能力、人間の行為能力（エイジェンシー）を基礎づける能力を掘り崩す、と主張したのに対して、フーコーは、彼のいわゆる倫理的著作において、新たな仕方で行為能力（エイジェンシー）と［倫理的］熟慮へと方向を変え、真剣な考察に値する両者の再定式化を提示している。［……］自己に基礎を持たない主体、つまりその出現の条件が完全には説明できないような主体を仮定することは、責任の可能性、またとりわけ自分自身を説明する可能性を掘り崩してしまうのだろうか。（第一章、三〇頁）

バトラーはフーコーとともに、主体は権力、あるいは規範の「呼びかけ」とその内面化によって創始されると考えている。つまり、権力の呼びかけによる主体化＝服従化［subjectivation（assujettissement）］以前に主体は存在せず、このような権力による主体化＝服従化によってしか行為能力［agency］は存在しない（私たちは本書で、“agency”というバトラー固有の概念を、基本的に「行為能力」と翻訳している。この訳語は、『ジェンダー・トラブル』の仏訳［*Trouble dans le genre*, trad. fr. Cynthia Kraus, La Découverte, 2005］が採用し、バトラーも承認している“capacité d'agir”という訳語に基づくと同時に、“agency”が「主体の服従の結果」として現れ、主体化の反復過程において「主体自身のもの」に反転しうるような、主体の力能を意味するという理解に基づく。後者の論点については、とりわけ『権力の心的な生』の「序文」を参照されたい。なお、“agency”＝「行為能力」に対して、“agent”は「行為主体」と訳出した）。このような見解に従えば、主体の行為能力は権力によって形成され、基礎づけられ、主体は自己に基礎を持たないことになる。実際バトラーは『ジェンダー・トラブル』において、ジェンダー化された主体は「近親相姦の禁止」、「同性愛の禁止」といった社会的規範の「呼びかけ」によって生産される、と論じている。このように、主体が自らにとって外的な社会的権力、規範によって形成されると考えるとき、「責任の可能性、またとりわけ自分を説明する可能性」をいかに基礎づけるべきか。このような問いこそ、バトラーが本書で提起する問いなのである。

それでは、このような問いにバトラーはどのように答えようとするのか。本書において彼女は次のように述べている。

発達関係に由来する自己への原初的な不透明性を仮定することは、他者に対する倫理的関係にとって一定の含意を持っている。実際、人が自分自身に対して不透明であるのはまさしく他者への関係ゆえであるとすれば、また、他者へのこれらの関係が人の倫理的責任の発生源であるとすれば、そのとき恐らく次のように言うことができるだろう。すなわち、主体がその最も重要な倫理的絆のいくらかを招き寄せ、支えるのは、まさしく主体の自分自身に対する不透明性によってなのである。（第一章、三一頁）

バトラーによれば、主体の自らに対する不透明性は、他者に対する倫理的関係の不可能性ではなく、むしろ倫理的関係の可能性を招来する。なぜなら、そのような不透明性は、主体が自己以外のものとの関係において形成されたことを証明しているからだ。つまり、主体の自らに対する不透明性は、主体が社会的規範、他者との関係において形成されていることを示している。そのような不透明性のなかには、主体と他者、主体と規範との関係が執拗に存在している。そこから、主体の他者、規範に対する倫理的責任という関係性が導かれる。ただし本書の論旨は、私たちは他者からの呼びかけに応答する責任を有する、というある種のレヴィナス主義に留まるものではない。むしろ、そのような応答がありうるとすれば、それはいかなる種類の応答でなければならないか、そしてその応答は何によって基礎づけられるのか、という問いが本書を貫いている点に注意すべきである。こうした観点から、主体の規範との関係が重要なものとなる。バトラーは、主体形成の基礎をなす規範との関係から、次のような視点を提示する。

もし「私」が道徳的規範と一体でないとしたら、それは、主体がこれらの規範について熟慮しなければならず、その熟慮の一部は規範の社会的な発生と意味に関する批判的理解をもたらすだろう、という意味にすぎない。その意味で、倫理的熟慮は批判の作業と密接に結びついている。また批判は、熟慮する主体がいかにして存在するようになり、また熟慮する主体が現にどのように生きており、一連の規範を我有化しているか、という点を考慮せずして先に進むことはできない。倫理が社会理論の作業に巻き込まれるだけではなく、社会理論が――もしそれが非暴力的結果をもたらすべきだとすれば――この「私」の生きる場所を見出さなければならない。（第一章、一五―一六頁）

主体が規範からの「呼びかけ」によって形成されるとしても、主体は規範によって完全に決定されているわけではない。したがって、主体は主体形成の基礎をなす規範に対して批判的距離を持ち、それを批判的に検討し、作り直すことができる。そのとき、倫理の問題は規範の批判と密接な関係を持つことになる。つまり、社会的規範の暴力性を批判し、それを変容させることが問題となるのである。

それではバトラーは、主体と他者との関係、主体と規範との関係から、いかなる倫理を導くのか。この点を検討する前に、まず規範の暴力性、「倫理的暴力」とは何か、という問題を考察しなければならない。

1 「倫理的暴力」とは何か

バトラーは「倫理的暴力」という言葉をアドルノから借用している。その際に彼女が参照するのは、アドルノの一九六三年講義『道徳哲学の諸問題』（邦訳『道徳哲学講義』）である。この講義でアドルノが扱っているのは、「狂った社会において、はたして正しい生というものは可能か」という主題であり、それは否応なく規範、道徳の暴力的作用と諸個人との関係を想起させる。バトラーは、アドルノによる規範、道徳の暴力性の概念について次のように分析している。

アドルノは「暴力」という語を、普遍性の要求という文脈における倫理との関係で用いている。彼はさらに、道徳性の発生——それは常に、ある種の道徳的審問、道徳的問いかけの出現である——に別の定式を与えている。「全体利益と個別利益、つまり個々人の利益との解離という社会的問題は、同時にまさしく倫理的問題でもある」。この分岐が生じる条件とは何だろうか。彼は、「普遍的なもの」が個人と一致しそこねて、あるいは個人を包含しそこねて、普遍性への要求そのものが個人の「権利」を無視してしまう、という状況に言及する。［……］アドルノは、生活様式を示すことのできない、あるいは既存の社会的条件の中で我有化できないとわかった倫理的規範は批判的修正を加えられねばならない、と力説する。もし倫理的規範が既存の社会的条件——それはまた、すべての倫理が我有化されうる条件でもある——を無視するなら、そのエート

スは暴力になるのである。（第一章、一一—一二頁）

つまり、アドルノにおける倫理的＝道徳的暴力（アドルノはこの講義において、「倫理」と「道徳」を完全に置き換え可能な用語として用いており、バトラーも本書においてこの用語法に従っている）とは、「普遍的なもの」（全体利益）としての倫理的規範が個人の権利（個別利益）と一致しそこね、それを無視してしまう、という事態を指している。バトラーの理論の文脈に置き換えるなら、強制的異性愛という規範が普遍的なものとして個人に押しつけられるとき、同性愛者の権利は無視されてしまう、という事態がそれに当たる。つまり「倫理的暴力」とは、倫理的＝道徳的規範のこうした普遍性の要求が個人の権利を無視し、それを蹂躙するような事態を指している。このとき問題なのは、規範の普遍性そのものではなく、むしろ個別性を蹂躙するような普遍性の作用である。

問題は普遍性そのものではなく、文化的個別性に応えることができない普遍性の作用であり、その適用範囲に含まれる社会的、文化的諸条件に応えて自らを定式化し直すことができない普遍性の作用なのである。普遍的規則が社会的理由から我有化できないものであるか——まさに社会的理由から——拒否されるべきものである場合、こうした普遍的規則はそれ自体が異議申し立ての場となり、民主的討議の主題、対象となる。つまり、こうした普遍的規則は民主的討論の前提条件としての地位を失うのである。もしそれが実際に民主的討論の前提条件として、参加の必須条件として働くとすれば、排斥的な予め(フォアクロージャー)の排除の形でその暴力を押しつけることになるだろう。これは、普遍性がその定義からして暴力的である、という意味ではない。そうではなく、むしろ普遍性が暴力を行使しうる条件が存在する、ということなのである。アドルノは、普遍性の暴力とはある程度、生き生きとした我有化を可能にする社会的諸条件に対してその普遍性が無関心であることに存する、ということを理解させてくれる。もしどんな生き生きとした我有化も不可能だとすれば、普遍的規則は、自由と個別性を犠牲にして無関心な外部から押しつけられた、致死的なもの、苦しみとして経験されうることになるだろう。(第一章、一三―一四頁)

ある社会的規範が個人にとって「どんな生き生きとした我有化も不可能」である場合、そのような規範は個人にとって「致死的なもの、苦しみとして経験されうる」。このような規範は主体の生存可能性を脅かし、まさしく倫理的暴力として個人に襲いかかる。ここからバトラーはアドルノとともに、個人の生存を脅かす倫理は批判的修正を加えられなければならないと力説するのである。

しかし同時に、社会的規範は主体形成の基礎をなしている。主体は規範の呼びかけに基づいて形成され、また他者との出会いは規範的文脈の上で組織される。そこからバトラーは、主体と他者との出会い、あるいは他者による主体形成について論じるだろう。

2 「私」と「他者」

先に確認したように、バトラーは主体の自らに対する不透明性を二つの観点から説明している。一方で、主体形成の基礎をなす権力、社会的規範の「呼びかけ」（アルチュセール的意味で）が存在し、他方で、そのような基盤の上に組織され、主体を別の仕方で形成する他者の「呼びかけ」が存在する。バトラーは後者の、他者の呼びかけによる主体形成について、精神分析的観点（ラプランシュ）と哲学的観点（レヴィナス）から説明を試みている（ただし、主体と他者との二者関係を考察するための基礎として、ある種のヘーゲル主義――とりわけ主体の他者への関係を「脱自的」と捉え、主体の自分自身への関係のなかにある種の他者性を見出すようなポスト・ヘーゲル主義――が参照されている点に注意しておきたい）。そのような前提から私たちは、まずラプランシュによる精神分析的説明を検討しよう。バトラーは、ラプランシュの主体形成の理論のなかで、とりわけ「謎のシニフィアン」という概念に注目する。ラプランシュは、幼児期における無意識形成、あるいは欲望形成の過程を説明しつつ、大人の世界が幼児期の子供に与える制圧的で謎めいた印象を「謎のシニフィアン［signifiants énigmatiques］」と名づけている（Cf. Jean Laplanche, « La pulsion et son objet-source », in *Le primat de l'autre en psychanalyse*, Flammarion, 1997）。バトラーは、「私」の自己に対する不透明性を、この概念から説明する。

ジャン・ラプランシュは、完全な分節に限界があるのは、原初の享楽［jouissance］への回帰を予め排除する（フォアクローズ）ラカン的「分割線」のせいではなく、大人の世界がその特殊性において子供に対して作り出す、制圧的で謎めいた印象のせいだと主張している。ラプランシュにとって、象徴的意味での〈他者〉は存在せず、子供の世界において保護者的大人の役割をする様々な他者だけが存在する。実際、ラプランシュにとって、これら保護者が「父」、「母」としてエディプス的に構成されていなければならないと仮定する理由はないのである。(第二章、一〇一頁)

バトラーはラプランシュに依拠しつつ、「私」が自己に対して完全に透明でありえないのは、ラカン的な意味における主体の分裂(分割線を引かれた主体)のゆえではなく、「大人の世界がその特殊性において子供に対して作り出す、制圧的で謎めいた印象」のゆえだと述べている。幼児期に大人の世界から与えられるこの制圧的で謎めいた印象(それは幼児に「原初的刻印」、「原初的外傷」を与える)を受動的に内面化することによって、無意識とその欲望が形成され、同時に主体そのものが形成される。バトラーはこの過程を次のように説明している。

幼児は、自分を取り巻く諸関係へと適応し、最も基本的な欲求の充足を確保するために、環境へと開かれていなければならない。この開かれはまた、大人の無意識的セクシュアリティの世界へと早熟に曝されることでもある——たとえ、セクシュアリティが自己保存に由来するのではないことを幼児がはっきり知っているとしても。開かれは、社会的世界、メッセージ、あるいはシニフィアン——それらは環境から子供に課され、いかなる素早い適応も不可能な制圧的で支配不可能な原初的刻印を生み出す——の帰結として現れる。実際、これらの原初的刻印は、容認不可能な原初的外傷を構成するのであり、ラプランシュはそれを「絶対的な原初的過程」と呼んでいる。その結果、原抑圧が起こり(いかなる行為能力(エイジェンシー)もこの抑圧を生み出すことはない。ただ抑圧の行為能力(エイジェンシー)のみが存在する)、原抑圧は無意識を樹立して、「原初的源泉対象、つまり欲動の源泉」を確立する。抑圧されるのは、これら原初的刻印の「物表象」である。つまり、外傷の結果として、最初は外的であった対象が性欲動の源泉、あるいは原因として組み込まれるようになるのである。諸欲動(生の欲動と死の欲動)は原初的なものとは見なされない――それらは他者の謎めいた諸欲望の内面化に由来し、最初は外的であったこれら諸欲望の残滓を運んでいる。結果として、あらゆる欲動は疎遠さ[étrangèreté]に取り囲まれており、「私」はその最も基本的な衝動において、自らを自分自身に対して疎遠なものとして見出すのである。(第二章、一〇二頁)

「謎のシニフィアン」の内面化は無意識とその欲望を形成する。そのとき内面化されるのは外的対象としての他者(の欲望)である。つまり、謎のシニフィアンの内面化は主体の欲望の核に根本的な「疎遠さ」を書き込むのであり、それによって、「私」は自らの欲望を疎遠なものとして見出すことになる。幼児期の主体形成はこのような仕方で、主体の欲望の直中に根本的な疎遠さ、すなわち他者性を書き込むのである。ここからバトラーは、私による自分自身の説明はそのなかにつねに他者性を包含せざるをえない、と述べる。そして私において、こうした他者への原初的関係性こそが、他者への責任の基礎を形作るのである。

では、レヴィナスにおいてはどうか。レヴィナスもまた、主体形成を他者に対する受動性から考える。彼は他者に対するこの根本的な受動性を「迫害」と呼んでいる。バトラーはこの概念を引用しつつ、レヴィナスにおける主体形成を次のように説明する。

責任の要求を行為能力(エイジェンシー)の可能性と分けて考えるレヴィナスにとって、責任は他者の意志せざる呼びかけに従った結果として生じる。これは、彼がひどく執拗に、迫害された者にとって責任を生み出すと主張するときに述べていることの一つである。[……]それは、私が被った迫害行為の原因を、私が遂行した行為にまで遡ることができる、ということではなく、それゆえ私が私自身に迫害をもたらした、ということでもなく、私が行ったが否認した行為を発見することが問題であるにすぎない、というわけでもない。いや、迫害とは、正確に言えば、私自身のいかなる行為の保証もなく生じるのである。そしてそれは、私たちを自分の行為や選択へと立ち戻らせるわけではなく、根本的に意志しない存在の領域、原初的なものへと立ち戻らせる。それは、〈他者〉による私たちへの侵害を創始するのであり、逆説的にも、私を「[対格の]私[me]」として形成する以前に、あるいはむしろ、私を対格の私自身を最初に形成する手段として形成する以前に私に生じる侵害を創始するのである。(第三章、一二二―一二三頁)

「迫害は迫害された者にとって責任を生み出す」というレヴィナスの主張は、ここでは決してニーチェ的な「疚しい良心」とは解釈されていない。バトラーによれば、レヴィナスはこの主張によって、主体形成の受動性という「前存在論的領域」を記述しているのであり、現実の迫害が「私」に「疚しい良心」と主体の反省性を生み出すということを意味しているのではない(ただしバトラーは、レヴィナスにおける主体の他者への関係を、ニーチェ的意味での「疚しい良心」から捉えたいという誘惑に抗しきれないようにも見える。バトラーのレヴィナスに対する両義的な態度については、彼女の論考「倫理の両義性」〔『批評空間』第III期第2号〕を参照せよ〕。むしろ、レヴィナスに依拠しつつバトラーが主張するのは、「私」は他者による原初的、根本的な侵害によって創始される、という点である。このような主体形成の受動性を、バトラーは「〔対格の〕私」と名づけている（ここで「〔対格の〕私」と訳した語は英語の"me"であり、それはフランス語の"moi"の訳語に当たる。ここで「対格」とは、私が他者の行為の対格目的語としてのみ、言い換えれば他者に対して受動的な仕方でのみ創始される、という状態を文法的に表現している）。「レヴィナスは、対格［accusative］としての私［moi (me)］の創始を文法的かつ倫理的な意味で考えている。ある種の告発［accusation］を通じてのみ、「〔対格の〕私」は生起するのである」（第三章、一二三頁）。つまり、主体は他者による原初的侵害なしには形成されない。そのような根源的受動性は「受動性以前の受動性」と表現される。

レヴィナスが「受動性以前の受動性」と呼ぶこの受動性は、能動性の反意語としてではなく、既定の存在論的領野の内部の文法や相互作用の日常的記述の中で生まれる能動‐受動という区分の前提条件として理解されねばならない。この存在論的領野を共時的な形で横断しているのは、その逆へと転換することはありえない受動性という前存在論的条件である。これについて理解するためには、意志的でなく、選択の余地がなく、また他者への応答性の条件をなし、さらには他者に対する私たちの責任の条件をなす、他者への感受性について考えなければならない。とりわけそれが意味するのは、この感受性が非自由を指しており、そして逆説的にも、いかなる選択の余

地もないこの感受性に基づいてのみ、私たちは他者に対して責任を負うようになる、ということである。(第三章、一二六頁)

つまり、もし私たちが他者に対して責任を負うとすれば、それは私の形成がこうした「受動性以前の受動性」としての他者への受動性に起因するからである、主体は、そのような条件を選択したのではなく、主体形成の前提としてそのような受動性を課されている。そのときレヴィナスは、ラプランシュ的意味で幼年期から主体形成を考えているのではない。「受動性以前の受動性」とは主体形成の共時的条件であって、そうした条件は私たちの主体を反復的に形成し続けている。つまり、レヴィナスにおいて主体形成とは幼児期の一度限りの過程ではなく、共時的で反復的な過程なのである。

バトラーは、レヴィナスにおける主体形成の理論から、ニーチェ的意味での「疚しい良心」ではなく、主体に根本的な形で書き込まれた他者への受動性と、そこから派生する他者への責任を導き出している。それでは、この点から彼女はどのような倫理を提起するのだろうか。

「責任＝応答可能性」ということで私が指しているのは、単に怒りの内面化や超自我の支えである強化された道徳感のことではない。まして、私が言及しているのは、自分が被ったことの原因を自分自身の中に見出そうとする罪責感のことではない。これらは確かに、傷や暴力へのありうべき一般的な応答ではあるが、これらはすべて、反省性を強め、主体を支え、自己充足の主張を支え、主体の経験的領野の中心性や不可欠性を支える応答である。フロイトとニーチェの双方がそれぞれ異なる仕方で語っているように、疚しい良心は否定的ナルシシズムが取る形式である。そして、ナルシシズムという形式を取ることによって、それは他者、刻印可能性、感受性、そして可傷性から撤退する。フロイトとニーチェが実に巧みに分析している疚しい良心の無数の形式が示しているのは、主体性の道徳化形式は、それが抑制しようとする衝動そのものを利用し、それを搾取している、ということだ。その上、疚しい良心の諸形式は、抑制の手段そのものがこうした衝動から作り出され、衝動がそれを禁じる法そのものの糧になる、といった同語反復的回路を生み出すことを示している。[……] 恐らく、私たちがここでレヴィナスとともに考えねばならないのは、自己保存は最重要な目標ではなく、またナルシシズム的な観点の擁護は最優先の心的要求ではない、ということだ。(第三章、一四一―一四二頁)

「責任=応答可能性」は「疚しい良心」ではない、とバトラーは繰り返し強調している。ここで重要なのは、「疚しい良心」がルサンチマンによって強化された反省性であり、「否定的ナルシシズム」に相当する、という点である。否定的ナルシシズムとしての「疚しい良心」は、他者を消去して自己に閉じこもり、それによって他者に「自己保存」を目的とした暴力を加える。それに対して、バトラーにおける他者への「責任=応答可能性」とは、そのようなナルシシズムを超えた、根源的な他者への関係性を指し示している。他者への責任は、主体が他者の働きかけによって形成されているがゆえに、主体にとってつねにすでに根源的なものとして存在する。私たちは、そのような他者への責任を、決してナルシシズムの暴力によって抹消することはできないのである。

3 規範への批判的関係

規範への関係に戻ろう。バトラーは、主体の規範への関係をめぐってどのような倫理を提起するのだろうか。彼女がここで参照するのは再びアドルノ、フーコーであり、その両者から導かれるのは社会的規範への批判的態度という倫理である。

まずアドルノから考察しよう。バトラーは、アドルノが「非人間的なもの」の形象に二重の意味を与えている点に注目する。アドルノは一方で、ベンヤミン宛書簡のなかで、カフカのアレゴリー的形象であるオドラデクを「非人間的なもの」と定義して、この意志を持たず脱人間化した「もの」のなかに、晩期資本主義社会（「狂った社会」）における解放の可能性を見出している。他方で彼は、カント的定言命法の抽象性を批判しつつ、抽象的理性の命令が行為の結果を参照しないとき、それは「非人間的なもの」に反転してしまうと述べている（カント的定言命法の抽象性とその抽象論理の「野蛮」への弁証法的反転については、とりわけアドルノ＝ホルクハイマー『啓蒙の弁証法』、「補論II ——ジュリエットあるいは啓蒙と道徳」を参照せよ）。アドルノにおける「非人間的なもの」の概念の両義性に注目しつつ、バトラーはそこから一つの倫理を導き出す。それは理性の自己断定を批判するという態度として現れるだろう。つまり、抽象的理性の命法がその自己断定において、人間性を破壊する「非人間的なもの」として現れるとすれば、その「非人間的なもの」の批判はオドラデクのごときもう一つの「非人間的なもの」、すなわち意志を放棄した「もの」の形象によってなされうるのである。バトラーは、アドルノにおけるオドラデクの形象の重視を、カント的定言命法とハイデガー的「決意性」（いずれも理性の自己断定を意味する）の批判と捉え、次のように述べる。

初期実存主義の公式において、人間的なものが自己定義し自己断定するものと定義されているとすれば、そのとき事実上、自制は人間的なものを脱構成することになる。アドルノにとって、自己断定は自己保存の原理と結びついており、彼はレヴィナスと同じように、この原理が究極の道徳的価値であることに異議を申し立てている。結局のところ、もし自己断定が世界への、「行為の」結果への、さらには他者への配慮を犠牲にして断固として自己を主張することになるなら、それは「道徳的ナルシシズム」を助長することになる。そして、そうしたナルシシズムの快楽は、行為を条件づけ、行為に触発されるような具体的世界を超越する能力に存するのである。（第三章、一五〇頁）

規範に対する倫理的態度は、他者への倫理と呼応しつつ、ナルシシズムの批判として定式化される。つまり、理性の命法の自己断定は、それが「世界への、「行為の」結果への、さらには他者への配慮を犠牲にして断固として自己を主張することになる」とき、「道徳的ナルシシズム」へと反転するのである。カフカのオドラデクは、自己断定の放棄の形象として、そのような理性の道徳的ナルシシズムを批判する。そこからバトラーは、道徳的規範に対する批判的態度こそが規範に対する倫理を構成する、と考える。つまり、行為原理を抽象的に参照するのではなく、行為の結果を参照し（ヴェーバー的「責任倫理」）、そこで現れる結果に基づいて行為原理を批判的に修正しうることが重要なのである。

そして、そのようなアドルノ的倫理は、一九八〇年代にフーコーが展開した倫理の問題と接合される。

アドルノが私たちに示したいくつかの事柄は、ある興味深く重要な仕方で、後期フーコーに現れる倫理の問題に接近する。フーコーの主張はアドルノと同様に、倫理は批判の過程という観点からのみ理解されるものであり、その過程において、批判はとりわけ存在論、特に主体の存在論に秩序を与える理解可能性の体制に関わる、というものだ。フーコーが「現在の存在の体制において、私は何でありうるか」と問うとき、彼は主体形成の可能性を、歴史的に制度化され、強制効果を通じて維持される存在論的秩序の中に位置づけている。既存の歴史的存在論の中では、自由なもの、あるいは自由でないものと見なされた私の意志に対する、私自身の純粋で無媒介な関係——私の自己の構造や自己観察の様式から切り離された——は存在しえないのである。（第三章、一五六頁）

アドルノにおける倫理が、道徳的行為規則に対する（行為結果からの）批判の可能性を確保することにあるとすれば、フーコーにおける倫理も、規範に対する批判の可能性に関わっている。そのような批判を、私たちの存在条件を形成する認識論的、規範的体制への批判として定式化することができるだろう。フーコーはこのような態度を、一九八四年のテクスト「啓蒙とは何か」(『ミシェル・フーコー思考集成』第X巻)において「歴史的存在論」と名指している。「歴史的存在論」としての批判は、私たち自身を歴史的なかたちで形成する認識、権力のあり方を批判的に析出し、それを変容させようとするのである。

バトラーは、このような批判の態度を、フーコーが一九八〇年代に提示した「倫理」の問題系と明白に接合している。一九八〇年代のフーコーが問題にしたのは、権力による主体の服従化[assujettissement]ではなく、むしろ主体の自己形成(ポイエーシス)としての主体化[subjectivation]であった。バトラーにおいて、先のような批判の実践は、まさしく自己形成としての主体化の実践として捉えられている。また、フーコーが晩年の講義で取り上げた「パレーシア」(つまり「率直に意見を述べること」、「公衆の面前で真理を述べること」)という古代ギリシアの概念を、こうした批判的自己形成の実践として捉えることもできる。パレーシアとは「批判的精神をもって勇敢に語ること」であり、他者を出発点とし、他者の言語を用いた自己形成、自己変貌の試みなのである。

説明とは、他者のために、他者へと、さらには他者に対して遂行する一つの行為——諸行為のより広範な実践の中に位置づけられるそれ——であり、談話行為であり、他者のための、他者の面前での行為であって、時として他者から与えられた言語を用いた行為である。この説明は、決定的な語りの確立を目標とはしておらず、自己変容のための言語的、社会的な機会を形成している。

教育的な意味で考えれば、それはソクラテスが『弁明』において、パレーシアとは批判的精神をもって勇敢に語ることであると例証したものの一部をなしている。フーコーによれば、「この新たなパレーシアの目標は、民会で民衆を説得することではなく、ある人物に、自分自身と他者に配慮しなければならないと納得させることです。それが意味するのは、彼は自、分、の、生、を、変化させなければならない、ということなのです」。（第三章、一八四頁）

パレーシアとは、他者の目前で、他者の言語を用いて自己を変貌させることであり、自己と他者に対して批判的な距離を保ちつつ自己を変貌させ、再創造することである。その意味において、パレーシアとはまさしく批判的自己形成の実践に他ならない。

同時に興味深いのは、晩年のフーコーが「真理を語ることはある対価を伴う」と考えている点である。主体と「真理」のこのような関係は、同時に規範との関係に深く関わっている。

フーコーは次のような問いを提示する。「主体は、自分自身について真理を語りうるために、いかなる対価を要するのか」。［……］人間主体は自分自身に合理性の諸形式を適用するが、この諸形式の自己への適用は相応の対価を伴う。主体に何かを強要する、この自己への適用の性質とは何だろうか。そこで何が強要されるのだろうか。そこで何が消費されるのだろうか。フーコーは、ここで理性が消滅するとは述べないだろうが、構築主義の自己満足的形式からも距離を取っている。彼が明らかにしているのは、私たちは単に言説の効果ではないが、あらゆる言説、あらゆる

> 理解可能性の体制は、対価を伴って私たちを構成する、ということだ。自分自身について熟考する私たちの能力、私たち自身について真理を述べる能力はそれぞれ、言説、［真理の］体制が言語化可能にすることを許さないものによって制限されているのである。（第三章、一七一―一七二頁）

「真理の体制」とは、先に述べたような既存の認識論的、規範的体制のことであり、その体制は私たちの「言説」、「真理」をある仕方で拘束し、予め制限している。そのように考えるなら、私たちが「真理」を述べるとき、こうした「真理」は予め、認識論的、規範的布置の効果として、別の「真理」の可能性を排除している。つまり、人が自分自身について真理を語る際に払う対価とは、既存の認識論的、規範的布置が予め排除しているもののことなのである。そこから、批判としての自己形成は、この真理の体制を批判的に問い直し、その体制に属する自分自身を変貌させようとする実践を意味するだろう。つまり、バトラーはフーコーから、規範への批判的態度、そして規範に属する自分自身の批判的な再形成という倫理を導き出しているのである。言い換えるなら、フーコーが「自己の変貌」という倫理的実践によって示しているのは、規範に対するこのような批判的実践に他ならない。

倫理をめぐる多くの理論（アドルノ、フーコー、ラプランシュ、レヴィナス……）を検討するなかで明らかになった、バトラーの「倫理」とはいかなるものだろうか。端的に述べるなら、それは、他者との関係において主体が行使しうるナルシシズム的暴力の批判であり、規範の道徳的ナルシシズム、すなわち「倫理的暴力」への批判である。そしてそのような倫理は、主体自身のある種の解体と再創造を伴うだろう。この再創造は、決して個人の孤独な行為ではなく、他者との関係においてしかありえない。その意味において、他者への「責任＝応答可能性」とは、他者への関係のなかで自己を解体し、自己を根本的に再創造することを意味しているのである。

訳者あとがき

本書は、Judith Butler, *Giving an Account of Oneself*, Fordham University Press, 2005の全訳である。タイトルは『自分自身を説明すること』としたが、本書で「説明」と訳した"account"という語には、他にも「根拠」、「評価」、「責任」、「叙述」、「記述」などの多様な意味がある。本書の目的が、他者との関係性という視点から主体に新たな基礎づけ、責任の可能性を与えることだとすれば（この点については訳者解説を参照されたい）、タイトルを『自分自身に根拠＝責任を与えること』と翻訳することもできるだろう。

邦訳タイトルには「倫理的暴力の批判」という副題を付した。この副題は、先にオランダで出版された英語版（*Giving an Account of Oneself: A Critique of Ethical Violence*, Van Gorcum, 2003）、同年にドイツで刊行された独訳版（*Kritik der ethischen Gewalt*, Suhrkamp, 2003）のタイトルを参考にして加えたものである。なお、両者の版に対して、本書の底本は大幅に加筆されている。

翻訳作業について明記しておく。本翻訳は佐藤嘉幸と清水知子の共訳であり、清水が第三章の冒頭から「人間になることをめぐるアドルノ」まで、佐藤が第一章、第二章と第三章の「彼自身を批判的に説明するフーコー」の訳稿を作り、それぞれが相手の訳稿を読み直して修正を加えたうえで、最終的に佐藤が全体を統一した。著者のジュディス・バトラー氏には、さまざまな質問に丁寧に答えていただいたことに深く感謝する。また、本書の企画段階から一貫してお世話になり、私たちの作業を辛抱強く支えて下さった月曜社の小林浩氏に心から感謝する。

二〇〇八年六月

佐藤嘉幸、清水知子

新版作成に際して、訳文を全面的に見直す改訳作業を行なった。全体を注意深く再読して数多くの有益な指摘を下さった青柳克幸氏、新版作成を適切に主導して下さった月曜社の神林豊氏に感謝する。

二〇二三年七月

佐藤嘉幸

本書は、二〇〇八年刊行の『自分自身を説明すること』の訳文を見直し、必要な修正を施した新版である。

著者：ジュディス・バトラー（Judith Butler）
カリフォルニア大学バークレー校大学院特別教授。主な著書に、『ジェンダー・トラブル』（竹村和子訳、青土社、1999年）、『触発する言葉』（竹村和子訳、岩波書店、2004年）、『生のあやうさ』（本橋哲也訳、以文社、2007年）、『権力の心的な生』（佐藤嘉幸・清水知子訳、月曜社、2012年／新版2019年）、『アセンブリ』（佐藤嘉幸・清水知子訳、青土社、2018年）、『欲望の主体』（大河内泰樹ほか訳、堀之内出版、2019年）、『分かれ道』（大橋洋一・岸まどか訳、青土社、2019年）、『問題＝物質（マター）となる身体』（佐藤嘉幸監訳、竹村和子・越智博美ほか訳、以文社、2021年）、『非暴力の力』（佐藤嘉幸・清水知子訳、青土社、2022年）などがある。

訳者：佐藤嘉幸（さとう・よしゆき）
筑波大学大学院人文社会系准教授。著書に『権力と抵抗――フーコー・ドゥルーズ・デリダ・アルチュセール』（人文書院、2008年）、『新自由主義と権力――フーコーから現在性の哲学へ』（人文書院、2009年）、『脱原発の哲学』（田口卓臣との共著、人文書院、2016年）、『三つの革命――ドゥルーズ＝ガタリの政治哲学』（廣瀬純との共著、講談社選書メチエ、2017年）、『ミシェル・フーコー『コレージュ・ド・フランス講義』を読む』（立木康介との共編著、水声社、2021年）、訳書にミシェル・フーコー『ユートピア的身体／ヘテロトピア』（水声社、2013年）、アントニオ・ネグリ＋マイケル・ハート『アセンブリ――新たな民主主義の編成』（水嶋一憲ほかとの共訳、岩波書店、2022年）などがある。

訳者：清水知子（しみず・ともこ）
東京藝術大学大学院国際芸術創造研究科准教授。著書に『文化と暴力――揺曳するユニオンジャック』（月曜社、2013年）、『21世紀の哲学をひらく――現代思想の最前線への招待』（共著、ミネルヴァ書房、2016年）、『ディズニーと動物――王国の魔法をとく』（筑摩選書、2021年）。訳書にスラヴォイ・ジジェク『ジジェク自身によるジジェク』（河出書房新社、2005年）、ネグリ＋ハート『叛逆――マルチチュードの民主主義宣言』（共訳、NHKブックス、2016年）などがある。

新版
自分自身を説明すること

著者　ジュディス・バトラー

訳者　佐藤嘉幸・清水知子

発行日　2024年1月31日　第1刷発行

発行者　神林豊
発行所　有限会社月曜社
郵便番号 182-0006
住所 東京都調布市西つつじヶ丘4丁目47番地3
電話 03-3935-0515（営業）◉042-481-2557（編集）
ファクス 042-481-2561
http://getsuyosha.jp/

装幀　大橋泉之
印刷・製本　モリモト印刷株式会社

ISBN978-4-86503-181-2

否認された共同体

ジャン-リュック・ナンシー

市川崇〔訳〕

1980年代、バタイユに触発されてナンシーは『無為の共同体』を刊行し、ブランショは『明かしえぬ共同体』でナンシーに応答した。30年後、ナンシーはバタイユを再び取り上げつつ、亡きブランショへ本書で問いかける。コミュニズムの地平の彼方へと、ナンシーの共同体論は新たに歩み出る。本書をめぐるジェローム・レーブルとの対談を付す。　本体価格3,600円

◉

場所、それでもなお

ジョルジュ・ディディ＝ユベルマン

江澤健一郎〔訳〕

ユダヤ人絶滅収容所の〈場所〉をめぐる表象不可能性に抗して、映画や写真のイメージ（映画『ショアー』『サウルの息子』、アウシュヴィッツ＝ビルケナウ国立博物館所蔵の写真群）を分析し、歴史の暗部を透視する。『イメージ、それでもなお——アウシュヴィッツからもぎ取られた四枚の写真』（原著2003年刊）の前後に書かれたユダヤ人大虐殺をめぐるテクスト三篇、「場所、それでもなお」（1998年）、「樹皮」（2011年）、「暗闇から出ること」（2018年）を一冊にまとめた、日本版独自編集の論集。　本体価格2,600円

◉

アウシュヴィッツの残りのもの〔新装版〕

ジョルジョ・アガンベン

上村忠男／廣石正和〔訳〕

初版2001年（原著1998年）、ロングセラー。アガンベンの主著「ホモ・サケル」4部作の第3部であり、強制収容所の生還者たちの証言をひもとき、人間破壊の地獄の底から倫理学の未来を照射した重要作。　本体価格2,600円